POR FIC VERISSIMO   MAY 1 7 2014
Veríssimo, Luís Fernando

Borges e os orangotangos eternos

BORGES E OS ORANGOTANGOS ETERNOS

LUIS FERNANDO VERISSIMO

BORGES E OS
ORANGOTANGOS ETERNOS

2ª edição

COMPANHIA DAS LETRAS

Copyright © 2000 by Luis Fernando Verissimo

Capa
Kiko Farkas e Mateus Valadares / Máquina Estúdio

Projeto gráfico
Raul Loureiro

Revisão
Maysa Monção
Ana Maria Barbosa

Dados Internacionais de Catalogação na Publicação (CIP)
(Câmara Brasileira do Livro, SP, Brasil)

Verissimo, Luis Fernando, 1936-
    Borges e os orangotangos eternos / Luis Fernando Verissimo. —
São Paulo : Companhia das Letras, 2000.

    ISBN 978-85-359-0058-3

    1. Ficção policial e de mistério (Literatura brasileira) 2.
Romance brasileiro I. Título.

00-4164   CDD-869.935

Índices para catálogo sistemático:
1. Romances : Século 20 : Literatura brasileira 869.935
2. Século 20 : Romances : Literatura brasileira 869.935

[2009]
Todos os direitos desta edição reservados à
EDITORA SCHWARCZ LTDA.
Rua Bandeira Paulista 702 cj. 32
04532-002 — São Paulo — SP
Telefone (11) 3707-3500
Fax (11) 3707-3501
www.companhiadasletras.com.br

Unwin, cansado, lo detuvo.

— No multipliques los misterios — le dijo. — Éstos deben ser simples.

Recuerda la carta robada de Poe, recuerda el cuarto cerrado de Zangwill.

— O complejos — replicó Dunraven. — Recuerda el universo.

Jorge Luis Borges, "Abenjacán el Bojari, muerto en su laberinto"

Sumário

O crime

Tentarei ser os seus olhos, Jorge. Sigo o conselho que você me deu, quando nos despedimos: "Escribe, y recordarás". Tentarei recordar, com exatidão desta vez. Para que você possa enxergar o que eu vi, desvendar o mistério e chegar à verdade. Sempre escrevemos para recordar a verdade. Quando inventamos, é para recordá-la mais exatamente.

Geografia é destino. Se Buenos Aires não fosse tão perto de Porto Alegre, nada disto teria acontecido. Mas não vi que estava sendo sutilmente convocado, que esta história precisava de mim para ser escrita. Não vi que estava sendo metido na trama de ponta-cabeça, como uma pena no tinteiro.

As circunstâncias da minha ida a Buenos Aires, sei agora, foram montadas com o cuidado com que se constrói uma armadilha conhecendo o bicho. Mas na hora o entusiasmo me cegou. Não me dei conta de que tinha sido escolhido para ser um acessório do crime, neutro e inocente como os espelhos do quarto.

O congresso da Israfel Society de 1985, o primeiro encontro de especialistas em Edgar Allan Poe a se realizar fora do hemisfério norte, seria em Buenos Aires, a menos de mil quilômetros do meu apartamento no Bonfim. Ao alcance do orçamento até de um pobre tradutor e professor de inglês (yo, como você sabe). Um dos conferencistas convidados do congresso seria Joachim Rotkopf, e sua conferência seria sobre as raízes do surrealismo europeu na obra de Poe, justamente a tese que provocara sua polêmica com o professor Xavier Urquiza, de Mendoza, que tanto me divertia nas páginas da revista da sociedade, *The Gold Bug*, O escaravelho dourado. Tudo isso me pareceu apenas um acúmulo de coincidências felizes, e irresistíveis. Decidi não resistir. Ou pensei que decidi.

Tenho cinqüenta anos. Levei uma vida enclausurada, "sin aventuras ni asombro", como no seu poema. Como você, mestre. Uma vida entre livros, protegida, em que raramente o inesperado entrou como um tigre. Mas não sou um ingênuo. Sou um cético, os livros me ensinaram todas as categorias de descrença e precaução contra o ilógico. Jamais poderia acreditar que o destino estava me chamando pelo nome, que tudo já estava decidido por mim e antes de mim por algum Borges oculto, que o meu papel estava me esperando como o *vide papier* de Mallarmé esperava seus poemas.

Só a perspectiva de ouvir os apartes do argentino à palestra do alemão, com quem eu me correspondia mas que não conhecia pessoalmente, justificaria o preço da passagem de avião a Buenos Aires (pelo crediário). O congresso seria em julho, quando meus alunos de inglês se recolhiam aos seus hormônios hiperativos para se proteger do frio e me davam férias. Nenhuma tradução importante exigiria minha atenção, pelo menos nada que não pudesse esperar uma semana, o tempo de duração do congresso.

E a última coincidência: um dia depois de chegar a revista com o anúncio que o congresso da Israfel Society de 1985 tinha sido, surpreendentemente, transferido de Baltimore para Buenos Aires, com instruções para a inscrição dos interessados, meu gato Alef morreu. De nenhuma causa discernível, apenas uma gentileza dele para com este solteirão que lhe deu abrigo. Alef era a única coisa que me impediria de viajar, pois não teria com quem deixá-lo depois que minha tia Raquel foi para o asilo. A morte de Alef me convenceu a não perder a oportunidade, que nunca mais se repetiria. E nem dessa morte tão conveniente eu desconfiei.

Tudo o que me aconteceu aí em Buenos Aires eu devo, de alguma forma, à morte de Alef. Ou à fatalidade geográfica. Ou ao Deus por trás do Deus que move o Deus que move o jogador que move as peças e inicia a ronda de pó e tempo e sonho e agonia do seu poema, Jorge. Ou aos desígnios de uma antiga trama posta em movimento, há exatos quatrocentos anos, na biblioteca do rei da Boêmia. Ou apenas à deferência inconsciente das presas às armadilhas bem-feitas, para não decepcionar quem se deu tanto trabalho...

Estou no meu papel, de ver e descrever, e agora escrever, o que vi. Alguém ou alguma coisa está me usando para desenredar o enredo. Sobre o rumo do qual tenho tão pouco a dizer quanto a pena tem a dizer aos poetas que a empunham, ou o homem aos deuses que o manobram, ou a faca ao criminoso. E cujo desfecho está em suas mãos, Jorge.

Ou devo dizer "en su cola"?

* * *

Não era a minha primeira vez em Buenos Aires. Quando menino, fui com a minha tia Raquel visitar a minha tia Sofia e o ramo argentino dos Vogelstein. As duas me trouxeram da Europa no começo da Segunda Guerra. A terceira irmã Vogelstein, minha mãe, Miriam, ficou na Alemanha nazista. Tinha um "protetor" e nada de mal lhe aconteceria. Raquel se instalou comigo em Porto Alegre, onde tínhamos parentes pobres; Sofia foi para Buenos Aires, onde tínhamos parentes ricos. Raquel costumava dizer que as duas irmãs tiraram a sorte durante a viagem: a perdedora ficara comigo. Não era verdade, ela era, das duas tias, a mais apegada a mim e jamais me abandonaria. Foi uma mãe carinhosa e dedicada. Nunca se casou para poder cuidar só de mim e, de uma maneira docemente dissimulada, nunca deixou que eu me casasse para não ter que compartilhar seu protetorado. Não precisou de muito empenho para me manter solteiro. Sempre encarei um compromisso doméstico permanente com qualquer mulher além da tia Raquel como uma ameaça intelectual. Elas não me roubariam a alma mas fatalmente interfeririam na organização dos meus livros, pelos quais tia Raquel tinha um respeito reverencial, transmitido a uma longa sucessão de faxineiras aterrorizadas. Os "livros do doutor" eram intocáveis, estivessem onde estivessem no nosso pequeno apartamento do Bonfim, e a estante com as minhas edições do Borges uma espécie de relicário que poderia lhes custar as mãos, se profanado.

No fim, antes de pedir para ser internada, tia Raquel foi obrigada a se entregar aos meus cuidados, mas sempre se amaldiçoando por me dar tanto trabalho. Eu deveria estar dedicado às minhas traduções e aos meus livros em vez de me especializando em dosagens de calmantes para uma velha imprestável. Ir para um asilo foi a sua maneira de me libertar da minha gratidão e outro modo de me proteger. Tia Raquel me protegeu demais durante toda a vida.

Talvez temesse que eu tivesse herdado a credulidade fatal da sua irmã, Miriam, minha mãe, que morreu num campo de extermínio na Polônia, depois de ter sido entregue à Gestapo pelo seu "protetor". Tudo o que sei sobre a minha mãe foi tia Raquel quem contou. Os seus cabelos vermelhos, a sua pele muito branca, o seu coração inocente demais. Na única fotografia que tenho dela, as três irmãs Vogelstein — Raquel, a mais velha, Sofia, a do meio, Miriam, a mais moça — aparecem numa mesa de calçada na Unter den Linden, em Berlim, na companhia de um homem. O "protetor", segundo tia Raquel. O monstro do qual nunca mais tivemos notícia. Os quatro sorriem para a câmera. Minha mãe é a mais bonita das três irmãs. Está radiante em seu vestido de verão e chapéu de abas largas. O homem usa uma manta de lã em volta do pescoço e tem um braço sobre o encosto da sua cadeira. Com o outro, levanta um brinde ao fotógrafo.

Mas isso não tem nada a ver com a nossa história, Jorge. Daquela visita com tia Raquel a Buenos Aires, a primeira vez que as duas irmãs se encontravam depois da fuga da Alemanha, só me lembro de um primo gordo e de voz fina chamado Pipo que não parava de me chutar.

Minha segunda visita a Buenos Aires foi anos depois. Aflito para desfazer um mal-entendido com você, Borges, fui (de ônibus!) procurá-lo. Tinha vinte e poucos anos e fazia algumas traduções, entre outras, para a *Mistério Magazine*, publicada em Porto Alegre pela velha Editora Globo. A revista reproduzia os textos que saíam em inglês na *Ellery Queen's Mistery Magazine*, e uma vez traduzi um conto de um tal Jorge Luis Borges, de quem eu — um anglófilo e americanófilo já então obcecado por Poe — nunca ouvira falar. Achei o conto ruim, sem emoção e confuso. No fim não ficava claro quem era o criminoso, o leitor que deduzisse o que quisesse. Resolvi melhorá-lo. Apliquei alguns toques tétricos à moda de Poe à trama e um final completamente novo, surpreendente, que desmentia tudo o que viera antes, inclusive o relato do autor. Quem notaria as mudanças, numa tradução para o português de uma tradução para o inglês de uma história escrita em espanhol por um argentino desconhecido que deveria me agradecer pelo sangue e o engenho acrescentados ao seu texto?

Não demorou para a editora receber a sua carta, indignada mas irônica. Algo sobre um mistério a mais à solta na sua revista que nem "el señor Queen" saberia explicar. Um solerte brasileiro, armado de incrível arrogância, atacando textos indefesos e deixando-os irreconhecíveis. Obviamente um caso para uma junta de detetives literários, ou para um estudo da mente criminosa dedicada à ficção.

Fui encarregado de responder a carta, já que o criminoso era eu. Tentei responder no mesmo tom, dizendo que, longe de me ver como um mutilador traiçoeiro, me considerava um cirurgião plástico empenhando em pequenas intervenções corretivas, e sentia muito você não ter apreciado o resultado das minhas pobres pretensões cosméticas. E me desculpando por ter esquecido a primeira regra de um cirurgião plástico, que é saber se o paciente concorda com o nariz novo.

Na sua resposta, Borges, você escreveu que estava acostumado com a soberba dos tradutores, mas que eu claramente levara essa deformação profissional a um nível patológico. E se como tradutor eu já era um perigo, como cirurgião plástico seria uma ameaça pública, pois minha imprecisão anatômica era alarmante. Em vez de mexer na cara do seu texto, eu lhe acrescentara um rabo, "una cola" grotesca. Um desenlace que transformava o autor no pior vilão que uma história policial pode ter: um narrador inconfiável, que sonega ou falsifica informações ao leitor. A minha *cola* não era nem redimida pela elegância. Ou pela funcionalidade, o que a recomendaria a um orangotango para manter o equilíbrio, não ao texto de outro para descaracterizá-lo. Pediu para que no futuro eu mantivesse distância tanto dos seus textos quanto do seu nariz.

A essa altura eu já me informara sobre Borges, e minha segunda carta foi cheia de contrição e mais pedidos de perdão. Você não respondeu, nem a essa segunda carta, nem à terceira e nem à quarta. A quinta (na qual eu declarava meu remorso crescente, minha conversão apaixonada à sua obra, ou aos poucos livros seus que encontrava em Porto Alegre, e minha disposição de ir a Buenos Aires para conhecê-lo e me desculpar pessoalmente) foi respondida por uma secretária, ou sua mulher, ou sua mãe, que escreveu que Borges me perdoava mas pedia que eu, por favor, o deixasse em paz. O que só aumentou meu remorso e minha decisão de procurá-lo.

Tentei de todas as maneiras falar com você naquela segunda ida a Buenos Aires. Sem sucesso. Foi como rodar em volta de um labirinto sem encontrar a entrada. No seu endereço da rua Maipu ou nos lugares onde sabia que poderia encontrá-lo, ora me diziam que você estava viajando, ora que estava doente, ora que não recebia ninguém, nunca, e que eu não insistisse. Insisti. Pedi ajuda aos meus parentes locais, que tia Raquel passara a chamar de "los granfinos argentinos" com certo desdém depois da nossa visita, pois, se ficara agradecida pela maneira como tinham acolhido tia Sofia, claramente os considerara intelectualmente inferiores, indignos da tradição cultural dos Vogelstein de Berlim.

O gordo Pipo, apesar de ser pouco mais velho do que eu, já era uma figura importante nos meios financeiros de Buenos Aires. Me disse para deixar tudo com ele. Localizaria Borges e marcaria o nosso encontro. Mobilizou secretárias e conhecidos influentes para cumprir sua promessa, certamente também levado pelo remorso (dos pontapés). Como o meio em que vivia Pipo e o mundo de Borges não eram exatamente os mesmos, os mal-entendidos só se multiplicaram. Um dia me vi sentado no bar do hotel Claridge com um velhinho chamado Juan Carlos Borges, ele admiradíssimo com meu interesse pelo seu trabalho e sua repercussão no Brasil, pois havia anos não publicava um dos seus pequenos poemas sobre botânica, eu sabendo desde a sua chegada que Pipo tinha localizado o Borges errado. Não tive coragem de desfazer o engano e paguei-lhe um chá com torradas, reafirmando minha devoção à sua obra tão injustiçada.

Outra vez, no mesmo hotel Claridge, encontrei-me com uma figura estranha chamada Borges Luis Jorge. Esse pelo menos se parecia com você — a quem chamava de "farsante" —, mas, ao contrário de você, usava óculos escuros porque enxergava demais. Não tinha nada a ver com literatura, que abominava como "um desperdício de percepção". Seu ramo era a astronomia. Me disse, mesmo, que era o único astrônomo do mundo que dispensava os telescópios, pois enxergava até detalhes da Lua a olho nu. Borges Luis Jorge não quis chá, preferiu um conhaque como recompensa pelo seu tempo perdido.

Acabei desistindo e voltando para Porto Alegre, amargurado com o fracasso da minha excursão penitente.

Passei um longo tempo sem escrever para você. Só recomecei quando mandei o estudo comparativo, em inglês, das suas histórias policiais e as histórias de August Dupin, do Poe, para a sua apreciação e possível aproveitamento, já que o submetera a *O Escaravelho Dourado* e a revista o devolvera. Você não respondeu. As cinco ou seis cartas que se seguiram também ficaram sem resposta, e você também nunca comentou as três histórias "borgianas", misturas de plágio e homenagem, que lhe enviei, depois de também tentar, inutilmente, publicá-las. A *cola* grotesca não tinha sido esquecida.

* * *

A ida ao congresso da Sociedade Israfel foi minha terceira vez em Buenos Aires, portanto. Estava mais frio aí do que em Porto Alegre. A recepcionista do congresso no aeroporto tinha um sinal bem no meio da testa e "Poe" escrito no crachá; cheguei a pensar numa coincidência milagrosa, uma tataraneta de um ramo argentino insuspeitado da família que... Mas não, seu nome estava escrito embaixo, em letras menores. Angela. Não tenho experiência em congressos. Não tenho experiência em nada. Ou não tinha, até ser metido nessa história decididamente borgiana. Eu era um bicho deslumbrado descendo do avião e entrando docilmente na armadilha, contente por encontrar um anjo loiro cujo cálido sorriso me acolhia. Apresentei-me, ela consultou uma lista, disse que os participantes do congresso estavam sendo distribuídos por vários hotéis da cidade e que o meu ficava, ficava... Ah, sim, ali estava. Senhor Vogelstein, do Brasil. Na rua Suipacha! Um hotel antigo, mas muito bom, recentemente reformado. Eu estava destinado a outro hotel, afastado do centro, mas ela mesma fizera a troca para o hotel da Suipacha, muito melhor. Sim, sim, ficava perto da rua Maipu. Não me ocorreu perguntar por que o nome Vogelstein despertara aquela simpatia instantânea em Angela. E ninguém parecia saber por que o congresso da Sociedade Israfel, que sempre se realizava, alternadamente, em Estocolmo, Baltimore e Praga, nessa ordem, fora subitamente programado para Buenos Aires.

Enquanto Angela preenchia os vouchers que eu deveria entregar ao motorista de táxi e à recepção do hotel, perguntei onde ficaria hospedado Joachim Rotkopf. Ela não precisou consultar sua lista. Sacudiu a cabeça, como se tentasse expulsar a memória do senhor Rotkopf pelos ouvidos. O senhor Rotkopf chegara naquela manhã e já se tornara inesquecível. Seu desembarque fora difícil. Tinha mais de setenta anos, viajava sozinho, andava com dificuldade e chegara reclamando da viagem, do frio, da recepção, de tudo. Quase agredira um repórter, e a própria Angela ouvira alguns insultos no seu espanhol tornado crocante pelo forte sotaque alemão.

Rotkopf morava no México. Numa das suas cartas para mim, escrevera que não entendia aquela lamúria moderna de que a conquista da América fora uma violação cultural. A conquista nunca se dera, os primitivos tinham vencido, sua cultura indolente e fatalista ainda dominava o continente. Só deixavam os brancos pensar que mandavam para expô-los à frustração e ao ridículo constante. *America is the defeat of Europe* era uma das suas frases. Só europeus derrotados, como ele, cabiam na América, onde sua resignação passava por assimilação. Ele dizia que estava no México pelo calor e porque era o lugar no mundo para se falar com caveiras e se acostumar com a morte.

A tese mais conhecida e discutida de Rotkopf sobre Poe era que a criação do escritor americano representava a dissolução final, na necrofilia e na loucura, da imaginação gótica, o último suspiro da sensibilidade européia na fronteira selvagem, "antes de ser comida pelos búfalos". Na história das relações da Europa com o Novo Mundo, era difícil saber quem estuprara quem. E era da carcaça do gótico abandonada na América que tinha nascido o surrealismo europeu, ou a resposta européia para o surrealismo inconsciente do Novo Mundo. Para Rotkopf, o verdadeiro Poe era o Poe traduzido por Baudelaire, ou o Poe resgatado dos bárbaros para revitalizar a vanguarda européia. Uma das últimas polêmicas dele com o professor Xavier Urquiza fora sobre isso, e movimentara o mais recente congresso da Sociedade Israfel, em Estocolmo. Os dois tinham trocado apartes durante a palestra do americano Oliver Johnson, que discorria sobre "Lovecraft e Poe, um legado obscuro".

Em Estocolmo, o argentino chamara o alemão de racista e euromaníaco; ele acusara o outro de filocretinismo.

As polêmicas intelectuais costumam ser como brigas de cachorro sem as mordidas, em que os latidos fazem o papel dilacerante dos dentes. Mas no caso de Rotkopf e Urquiza eles tinham, segundo a reportagem de *O Escaravelho Dourado* sobre o evento, chegado quase a dentadas reais. Tanto que obrigaram Oliver Johnson a interromper sua fala sobre a continuidade de Poe em Lovecraft, na qual defendia a tese revolucionária de que uma suposta invenção de Lovecraft no século xx, o *Necronomicon*, ou o livro dos nomes mortos, era na verdade um código esotérico vindo do começo dos tempos ao qual Poe já fizera referências cifradas, e abandonar o palco, ouvindo de Rotkopf que fazia muito bem, pois cada vez que um imbecil se calava, o clima intelectual da Terra melhorava um pouco. Oliver Johnson jurara matar Joachim Rotkopf um dia, e Rotkopf e Urquiza tinham continuado sua discussão nas páginas de *O Escaravelho Dourado*, em artigos cada vez mais violentos que eu acompanhava fascinado, jamais sonhando que um dia poderia ouvir aqueles magníficos cachorros eruditos se insultando ao vivo.

Os três se encontrariam de novo em Buenos Aires, e agora meu anjo sorridente me informava que Joachim Rotkopf estaria hospedado no meu hotel, na Suipacha, embora tivesse vociferado que exigia o Plaza. Depois descobri que Urquiza e Johnson também estariam no mesmo hotel — e no mesmo andar do alemão! Era quase vida real demais para as minhas expectativas. Os organizadores do congresso claramente não sabiam o que estavam fazendo, ou sabiam bem demais, e eram parte da mesma conspiração, da mesma terrível artimanha do Borges por trás do Borges por trás do Deus conivente que me tirara da minha vida pacata e segura no Bonfim.

Junto com os vouchers e as instruções sobre como pegar um táxi e chegar ao hotel, Angela me entregou o programa oficial do congresso e um convite para o coquetel de inauguração, no Plaza. Quando revelei que não tinha levado gravata, ela me fulminou com o seu sorriso (outra vez!) e disse que as recepcionistas estavam preparadas para todos os tipos de excentricidade dos participantes daquele congresso, e que a minha falta de gravata era nada diante do que ainda esperavam ver... E afastou-se, pois outro recém-chegado, um japonês nervoso, exigia sua atenção. Ele reclamava do fato de, pela primeira vez na história, a Israfel Society ter quebrado sua tradição de fazer congressos alternados em Estocolmo, Baltimore e Praga, o que o obrigara a mudar todos os seus planos e até interferira no equilíbrio dos seus fluidos vitais. Acabei indo para o hotel no mesmo táxi com o japonês, que não parou de falar um minuto. Ele prometia protestar com veemência à direção da Israfel Society — se conseguisse encontrá-la. Os dirigentes da sociedade organizavam os congressos mas nunca apareciam em público.

Os quartos do hotel eram pequenos mas tinham o pé-direito alto e uma parede inteira ocupada por um armário com portas cobertas por espelhos que iam até o chão, de sorte que pareciam ter o dobro do tamanho. Estranhei o aquecimento exagerado no quarto. O coquetel seria no fim daquela tarde, os debates começariam no dia seguinte e a conferência de Rotkopf seria o principal acontecimento do primeiro dia. Hesitei, deveria telefonar para minha tia Sofia? Se ela ficasse sabendo que eu estivera em Buenos Aires e não a procurara ficaria sentida, mas qualquer contato meu poderia constranger os *granfinos argentinos* a me receber, contra a minha vontade e a deles. Decidi poupá-los, e me poupar. Com vinte e cinco anos mais, o gordo Pipo só poderia estar ainda mais insuportável. E mais rico.

E Jorge Luis Borges? Não, não iria procurá-lo. Tinha ouvido dizer que você estava muito doente e não saía mais de casa. E eu não queria me submeter à mesma frustração de vinte e cinco anos antes. Também pouparia você da minha presença em Buenos Aires, Jorge.

Eu não tinha roupa para ir ao coquetel. Acabei usando o mesmo paletó que usara na viagem, meu único paletó bom. Na passagem pela portaria do hotel, a caminho do Plaza, reclamei do calor excessivo no quarto. Me informaram que o aquecimento do hotel no grau máximo fora uma exigência enfática "del señor Rotkopf", do 7o3, e que era impossível controlar a temperatura dos quartos individualmente. Sim, os senhores Oliver Johnson e Xavier Urquiza também já tinham se registrado, seus quartos eram o 7o2 e o 7o4, respectivamente. Cheguei atrasado ao coquetel. Resolvi passar, antes, na rua Maipu, mas só para olhar a porta do seu edifício antes de ignorá-lo por completo. Nem me lembro se suspirei, olhando a sua porta. Estava resignado a jamais encontrá-lo, mestre.

A princípio não reconheci ninguém no grande salão do Plaza, embora conhecesse muitos dos especialistas em Poe das páginas de *O Escaravelho Dourado* e das suas fotografias em capas de livros. Eram as minhas celebridades. Avistei Angela conversando com dois homens do outro lado do salão e me dirigi para lá. Ela e seu sorriso pareciam uma clareira ensolarada numa floresta de troncos hostis e ameaçadores cipós falantes. Um dos homens era magro e alto, tão alto que precisava se curvar para falar com Angela. Usava bigode, tinha os cabelos pretos engomados e penteados para trás e um perfil de ave de rapina. Se fosse começar a bicar a doce Angela, teria que começar pelo topo da sua cabeça. O outro homem, de costas para mim, parecia bem mais velho e frágil. Angela me reconheceu e nem precisou consultar o crachá que pendia do meu pescoço em lugar da gravata antes de fazer as apresentações. Eu era Vogelstein, do Brasil, e o velho senhor que se virava para me encarar eu *por supuesto* já conhecia, era o escritor...

Jorge Luis Borges! Eu estava diante de Jorge Luis Borges! Você estava sorrindo para mim e estendendo a sua mão para ser apertada. A sua mão era verdadeira, a mão de Jorge Luis Borges, que eu apertava sem acreditar, era de carne e osso! Você estava dizendo alguma coisa. Algo sobre ter estado no Brasil no ano anterior, sobre gostar muito do Brasil, sobre ser meio brasileiro. Estava me perguntando de que lugar do Brasil eu era. Eu podia repetir meu nome? Consegui voltar ao chão e dizer, numa voz que nunca ouvira antes:

— Vogelstein. Vogelstein, de Porto Alegre.

E acrescentei:

— Escritor.

Examinei seu rosto, procurando um sinal de que o nome despertara alguma lembrança. Vogelstein, Borges! O das cartas, o dos contos, o da tradução na *Mistério Magazine*, o da *cola* insolente! Você disse:

— Vogelstein... Temos uns Vogelstein em Buenos Aires. O nome é hebreu, não é?

Não! Não eles, Borges, eu! Não os filisteus ricos. O Vogelstein de Porto Alegre. Seu admirador, seu colaborador acidental, seu colega, apesar de inédito. Seu... Mas você estava me apresentando o outro homem.

— Conhece? Um dos nossos principais estudiosos de Poe. Apropriadamente, é um criminalista. Mais apropriadamente ainda, se chama Cuervo. Eu sempre digo ao doutor Cuervo que as suas análises da obra de Poe são desleais com o autor e com os outros analistas, pois ele tem a perspectiva de um personagem. Fala de dentro da obra. É um observador privilegiado!

— Por favor, Jorge — disse Cuervo, fingindo impaciência.

Aquela, aparentemente, era uma brincadeira antiga entre vocês dois. Angela riu, me olhando para ver se eu entendera o espanhol e a piada. Aprendi espanhol para ler você no original. Entendo tudo e falo com razoável desenvoltura, como você notou. Ri mais do que todos, uma risada que também nunca ouvira antes. Estava eufórico com a minha estréia na vida cosmopolita e com a proximidade — até que enfim! — de Borges. Dali a pouco também o estaria chamando de Jorge.

Naquele primeiro contato falamos pouco. Você me contou que estava tentando ditar um livro, *O tratado final dos espelhos*. Perguntei por que "final", e você respondeu que podia razoavelmente supor que, naquela idade, tudo o que fazia era pela última vez. Protestei e virei-me para pegar uma taça de champanhe de uma bandeja que passava, mas quando comecei a erguê-la, pensando desesperadamente num brinde inteligente para propor à sua longa vida, vi que você estava sendo levado pelo braço para outro grupo, puxado por uma seqüestradora de tafetá.

Você era, obviamente, a grande atração da festa, e os estrangeiros recém se davam conta da sua presença. Perguntei a Cuervo como estava a saúde do seu amigo. Acho que disse "do Jorge". Lá de cima, Cuervo fez uma careta. Borges não estava bem. Só concordara em participar daquele coquetel em atenção a ele, Cuervo, pois eram grandes amigos. Perguntei se era verdade que a polícia às vezes recorria à mente de Borges, adepto de criptogramas e enigmas e pistas codificadas, para ajudar a resolver um caso, esperando ouvir uma risada como resposta.

Mas Cuervo se manteve sério e disse que não tinham sido poucas as vezes em que buscara o seu conselho na solução de um caso intrincado, e que sua contribuição era sempre valiosa. Além disso, vocês conversavam muito, sobre literatura policial, Poe e criminalística.

Não, Cuervo não era um ficcionista. Disse que não tinha essa pretensão. Limitava seus escritos a assuntos técnicos, da sua área, e à ficção de Poe, mas às vezes combinava os dois interesses. Uma vez, por exemplo, usara o crime no quarto fechado de "O assassinato na rue Morgue" numa aula sobre perícia e investigação forense. Claro! Lembrei-me de ter lido alguma coisa sobre isso numa edição especial de *O Escaravelho Dourado* totalmente dedicada ao conto de Poe, a primeira história de detecção analítica jamais escrita, sem contar o *Édipo* de Sófocles. Cuervo também era uma celebridade! Contou-me que colaborava com a revista e que participava esporadicamente dos seus congressos, mas que não tinha nenhuma outra ligação com aquela entidade misteriosa, a Israfel Society. Foi a primeira vez que ouvi a sociedade ser chamada de "misteriosa". Não perguntei a razão.

Felizmente Cuervo não quis saber o que eu fazia e por que estava ali, pegando uma segunda taça de champanhe antes de terminar a primeira. Que ficasse subentendido que eu também era um *scholar*, não um deslumbrado neófito em congressos. Não um intruso do Bonfim na vida real. Mais uma taça de champanhe e eu diria alguma coisa sobre o decote de Angela e o sinal que ela tinha entre os seios, combinando com o da testa. Alguma coisa brilhante. Era possível até que aquela noite terminasse em tertúlia, novas teorias — ou tangos! — com Borges. Tudo era possível, na minha nova condição de homem do mundo. Alef não morrera em vão.

Você tinha desaparecido entre admiradores. Tentei me convencer de que sua frase, sobre a deslealdade de Cuervo com o autor, fora uma alusão velada à minha tradução do seu conto na revista da Globo, vinte e cinco anos antes. Sim, Borges se lembrava de mim. Vogelstein. Vogelstein de Porto Alegre. Tinha que se lembrar!

Alguns champanhes mais tarde, esperando uma brecha para me reaproximar de você, avistei Joachim Rotkopf. Ele também tentava se aproximar de você, mas sem a minha hesitação. Vinha como um cruzador singrando gente e usando sua bengala para abrir caminho. Mostrou irritação quando o interpelei, identificando-me como seu correspondente de Porto Alegre. Eu já estava meio bêbado mas tive o cuidado de esconder meu crachá, pois correspondia-me com ele usando um pseudônimo e não queria ter que explicar a discrepância. Mas ele não estava interessado em mim sob nenhum sobrenome. Sim, sim, conversaríamos depois. Estávamos no mesmo hotel? Ótimo, ótimo. Tomaríamos alguma coisa e conversaríamos, talvez naquela mesma noite. E continuou seu avanço na sua direção, levando duas senhoras pela frente e derrubando o japonês com quem eu compartilhara o táxi para o hotel.

Foi no meio desse bolo de adoradores que invadira a cotoveladas, me deixando na periferia, que o alemão protagonizou o primeiro dos dois escândalos que o envolveriam no congresso da Sociedade Israfel. Anunciou-lhe que viera preparado para desmascarar seu conterrâneo Xavier Urquiza, acabar com a sua reputação e aniquilá-lo intelectualmente, aproveitando para pulverizar também o americano Oliver Johnson, a quem chamava de "Lovecrafty", inclusive com uma prova documentada de que sua tese sobre o *Necronomicon* era uma grande bobagem e um plágio. E, diante do seu bem-humorado pedido de paz entre os espíritos, acrescentou que teria algumas coisas a dizer, também, sobre a escroqueria intelectual de certos "falsos europeus" como você mesmo, Borges, o que provocou murmúrios de indignação em volta.

Rotkopf era alto como Cuervo, que não estava por perto para defender seu frágil amigo, já que você apenas sorria timidamente diante da descortesia do alemão. A altura dele me surpreendera. E o vermelho da sua pele, em contraste com os cabelos muito brancos. Numa das suas cartas ele me dissera que nascera na terra ideal, a Alemanha, onde todo intelectual deveria nascer, mas sob o sol errado. A cultura solar dos mexicanos era um reconhecimento de que eles nunca teriam uma idéia para cultuar mais valiosa do que o Sol, que o Sol compensava a falta de um Goethe. O sol o levara para o México. E mesmo assim, na sua casa mexicana a lareira funcionava o ano inteiro. Ele se movia com dificuldade, mas tinha o corpo esguio de um ex-atleta.

A senhora de tafetá, que não largara o seu braço, encarregou-se de encerrar o incidente. Afastou sua presa do alemão desagradável, tomou a direção do buffet, e o bolo solidário foi atrás, como uma guarda.

O segundo escândalo protagonizado por Joachim Rotkopf no congresso, claro, foi o seu assassinato, naquela mesma noite.

Angela não entendeu meu comentário sobre as suas pernas, quando nos reencontramos diante das ruínas de uma pirâmide de camarões. O que não me surpreendeu. Eu mesmo não sabia o que dissera. Depois de tanto champanhe, não tinha mais condições de entender meu próprio espanhol. Ela estava perguntando se eu me importava de voltar para o hotel com Rotkopf, pois ninguém queria ir no mesmo carro com ele. Na sua procura por alguém que o agüentasse por mais de dois minutos, Rotkopf conseguira derrubar uma bandeja de canapés, uma recepcionista e o mesmo japonês que já derrubara antes, e que em seguida deixara o coquetel indignado. Xavier Urquiza e Oliver Johnson, sensatamente, tinham evitado qualquer confronto com Rotkopf. O que não impedira o alemão de, ao reconhecer o americano, que tinha a cor e o físico de um marajá indiano, começar a gritar grotescamente:
— *Israfel, Israfel, does it ring a bell?*

Além de Johnson e de mim, ninguém entendeu o significado do verso — "Israfel, Israfel, lembra alguma coisa?" — improvisado, em falsete e com a bengala marcando o ritmo, por Rotkopf. Numa das suas cartas, ele me contara que fizera pouco da mania de Johnson de descobrir significados ocultos em tudo, mandandolhe, anonimamente, uma interpretação do poema de Poe sobre o anjo Israfel. Afirmava que o poema lido ao contrário, num espelho, revelava um código cabalístico. Johnson se entusiasmara com a descoberta e a citara num dos seus artigos. Depois recebera uma carta sarcástica de Rotkopf identificando-se como o autor da falsa informação e recomendando-lhe que fosse mais cuidadoso com suas fontes. Rotkopf me relatara o embuste cruel com grande satisfação.

Perambulando pelo salão atrás de você e do seu séquito, Jorge, até Cuervo conseguir arrancá-lo da senhora de tafetá e levá-lo para casa, eu ouvira várias sugestões sobre o que deveria ser feito com o desastrado alemão, e nenhuma era caridosa. Correra a informação de que o velho Urquiza decidira desafiar Rotkopf para um duelo, depois de saber o que ele dissera a seu respeito e a respeito de Borges. Outro rumor era que um filho de Urquiza, um jovem atlético com cara de idiota presente no coquetel, tivera que ser contido para não agredir o alemão ali mesmo. E Johnson, fugindo da provocação de Rotkopf, reiterara sua promessa de matá-lo assim que tivesse uma oportunidade.

No carro, sozinho comigo e o motorista, Rotkopf não parecia consciente da revolta que provocara. Brincou com o motorista, perguntando se ele era portenho e se também achava que Buenos Aires, aquela "simulación", era mesmo uma cidade européia, e se, como todo portenho, também se considerava "esa imposibilidad fisiológica", um britânico subequatorial. O motorista não achou graça. Seu olhar, quando deixamos o carro, era de quem também aproveitaria a primeira oportunidade para matar o alemão. Começou a ventar forte justamente quando descemos do táxi, e atravessamos a calçada até a porta do hotel com alguma dificuldade.

Rotkopf propôs irmos até o seu quarto e tomarmos alguma coisa para nos esquentar. Trouxera tequila, já que não podia trazer o sol. No elevador, pareceu me olhar pela primeira vez. Então eu era Machado, de onde mesmo? Porto Alegre, claro. Me imaginava mais moço, minhas cartas lhe pareciam, às vezes, juvenis no seu entusiasmo e ingenuidade e na sua curiosidade obsessiva. Por que eu queria saber tanto sobre a sua vida? Por que perguntava sobre a sua atividade como criptógrafo durante a Segunda Guerra, se aquilo tinha tão pouco a ver com o nosso interesse comum por Poe? Eu certamente não pertencia à corrente, que atingira seu ápice de ridículo em Johnson, que atribuía significados cifrados a toda a obra de Poe. Eu não parecia ser tão burro assim. Não estava me insultando. Pelo menos não que se desse conta. No corredor, cantou outra vez o estribilho com que atormentara o pobre Johnson, *Israfel, Israfel, does it ring a bell?*, e deu uma gargalhada estrondosa. Quando entramos no quarto dele, notei que a porta do 701 estava entreaberta e alguém nos espiava.

Nossa conversa, ou o que me lembro dela, foi até agradável, apesar do quarto superaquecido, do vento sacudindo as vidraças e da tequila quente depois do champanhe. Antes de sair eu disse, com toda a sinceridade, que achava que a vida dele corria perigo. Recomendei que trancasse a porta do quarto e usasse a corrente, de modo que nem uma chave mestra conseguisse abri-la. Ele pareceu não me dar atenção, mas assim que saí do quarto ouvi o ruído da porta sendo trancada e da corrente sendo colocada no lugar.

Minha preocupação seguinte foi lembrar onde ficava meu quarto. Coquetéis, encontro com Jorge Luis Borges, a iminência de batalhas intelectuais e até de violência física, e eu no meio de tudo aquilo. Estava tonto. Tia Raquel tinha me protegido demais, a vida real me invadira com muita força, o cosmopolitismo instantâneo me desorientava, tudo aquilo era muito novo e embriagante. Sem falar no champanhe e na tequila quente.

Quando desci para descobrir qual era o meu quarto (era o 202) e pegar minha chave na portaria, Xavier Urquiza e Oliver Johnson estavam chegando ao hotel, também sacudidos pelo vento. Chegavam ao mesmo tempo, mas não juntos, pois também se odiavam. O americano encontrou um pretexto para não subir no elevador com o argentino, para o mesmo andar de Joachim Rotkopf, para o fatídico sete. Eu subi para o meu quarto no segundo andar pela escada. Rapidamente e sem dificuldade, pois não sentia mais as pernas.

No meio da noite o telefone me acordou. A voz de Joachim Rotkopf debaixo d'água. Ou borbulhante, como se saísse da garganta junto com um líquido. Uma única palavra, que não entendi. Depois silêncio. Notei que tinha parado de ventar.

Subi até o sétimo andar e bati na porta do quarto 703. Nenhum movimento, nenhum ruído. Bati com mais força. Nada. Vi a porta do 701 se entreabrir, mas ninguém apareceu. Bati de novo na porta de Rotkopf, agora com a palma da mão. Nada. Desci até a portaria do hotel. O vigia da noite não devia ter vinte anos. Mais difícil do que acordá-lo foi convencê-lo a arrombar a porta do 703. Ele não podia, estava sozinho na portaria, precisava da autorização do gerente, del señor... Não há tempo, gritei, puxando-o na direção do elevador. Podemos evitar a morte de alguém. "Vamonos!" Já conseguira arrastá-lo para dentro do elevador quando ele se lembrou de voltar e pegar a chave mestra, que custou a achar.

A chave não adiantou nada, com o quarto trancado por dentro. Tivemos que arrombar a porta. Entrei e vi Joachim Rotkopf estendido no chão, de lado, ainda vestido como eu o deixara horas antes. Seu corpo estava numa posição estranha, dobrado na cintura, as pernas retas e os braços estendidos acima da cabeça, formando um V aberto. O telefone estava no chão, com o fone fora do gancho ao lado da cabeça dele. Não deixei o vigia entrar no quarto, para que não visse o sangue no chão. O pobre rapaz já estava suficientemente apavorado.

—Vá buscar ajuda! — gritei. — Chame um médico! Chame o gerente!

Nem o médico, nem o gerente, nem os outros sonolentos funcionários do hotel que invadiram o quarto convocados pelo vigia puderam ajudar Joachim Rotkopf, e nem ajudaram muito a polícia, pois quando ela chegou tudo no quarto já tinha sido deslocado, inclusive o corpo do morto. A polícia só reconstituiu a cena graças ao relato que fiz — um relato tão preciso quanto permitiam, na hora, o meu estado de choque e a quantidade de álcool no meu sangue — do que vira ao examinar o quarto depois que o vigia saíra correndo. Como estava o corpo? Precisei fazer um esforço para lembrar. O corpo formava a letra V, disso eu não tinha dúvida. Mas qual era a sua posição? Estava com a bunda, ou o vértice do V, encostada num dos espelhos que cobriam uma parede do quarto. Era isso, a bunda contra o espelho. O sangue formara um lago no tapete, sobre o qual ele tinha se arrastado, ou sido arrastado, até perto do espelho. A garrafa de tequila e os copos que usáramos continuavam no mesmo lugar, sobre uma mesa, mas ao lado da garrafa havia quatro cartas de baralho que não estavam ali antes. Nenhum sinal do instrumento usado para cortar a garganta de Joachim Rotkopf, depois enfiado duas vezes na sua barriga.

Entre os hóspedes do hotel que apareceram para espiar a cena do crime e complicar ainda mais o trabalho da polícia, não vi Oliver Johnson nem Xavier Urquiza. Eles não abriram as portas dos seus quartos. O hóspede do 701 entreabriu a sua, mas, outra vez, não apareceu.

O congresso estava suspenso, a morte violenta de Joachim Rotkopf chocara a todos, inclusive você — mas você não conseguia esconder seu prazer. Não conseguia manter a boca numa posição correta de pesar e preocupação. Um congresso sobre Edgar Allan Poe interrompido por um assassinato num quarto fechado, como no conto do próprio Poe! Era lamentável, mas era fantástico. Várias vezes durante a nossa conversa, quando fomos visitá-lo naquela tarde depois do crime, uma expressão de felicidade correu pelo seu rosto como uma criança escapando ao controle de um pai severo, até ser dominada de novo. Eu sabia que você ia gostar, Jorge.

A minha felicidade era indisfarçável. Estava sem dormir, ainda atordoado com a cena que vira no quarto, com as perguntas da polícia e depois dos repórteres, com uma manhã vertiginosa em que só a presença suave de Angela me salvara de um colapso nervoso. Angela até segurara a minha testa, como fazia a tia Raquel, enquanto eu vomitava tudo o que bebera na noite anterior. Mas agora eu estava dentro da biblioteca de Jorge Luis Borges. Eu chegara ao centro do labirinto e o monstro me oferecera chá, mate ou xerez. Eu estava no meio dos seus livros, sob as suas gravuras de Piranesi, bebendo seu chá certamente inglês, e você me ouvia, e desta vez não era um sonho. Como a compunção e o deleite disputando o poder no seu rosto, a náusea e o êxtase disputavam o domínio do meu estômago.

Sentamo-nos em poltronas antigas de couro (exatamente como nos meus sonhos), num triângulo em torno de uma estufa elétrica acesa. Cuervo me levara à sua presença para descrever o que eu vira no quarto do morto, depois de arrombada a porta. Antes, fez o relatório do que a polícia sabia. A causa da morte eram três punhaladas, duas no ventre e uma no pescoço. De um punhal hipotético, pois não o tinham encontrado. Hora exata do crime, difícil de dizer. Algo sobre o aquecimento excessivo no quarto interferindo na coagulação do sangue. Rotkopf ainda estava vivo quinze minutos antes de ser encontrado, quando telefonara para mim, às três da madrugada, mas poderia ter sido apunhalado em qualquer momento depois que eu saíra do seu quarto, ali pelas onze. A porta de entrada do quarto estava trancada por dentro, inclusive com a corrente, que se partira no arrombamento. As janelas também estavam trancadas por dentro. No banheiro não havia janela. Uma porta ligando o 703 com o 704 — o quarto de Xavier Urquiza — estava chaveada, e a chave não saíra de uma gaveta na mesa do gerente do hotel.

— O que ele lhe disse ao telefone? — perguntou você.
— Não entendi bem. Havia o sotaque alemão, e o corte no pescoço... Parecia *Djebrrokee*.
— *Cherokee?*
— Podia ser.
— Cherokee. A única das grandes tribos americanas a ter um alfabeto silábico...
Cuervo e eu nos entreolhamos. Se aquela informação desencadeara algum tipo de raciocínio dedutivo — o

corte no pescoço como uma tentativa desastrada de escalpamento, algo assim — você logo o considerou prematuro e descartou, pois fez um gesto que espantava o pensamento como uma mosca. Pediu que eu continuasse. Como estava o corpo quando eu entrara no quarto?

— Formava um V.

Você fez um ruído que podia ser o começo de uma risada, logo abortada. A expressão no seu rosto era de extrema satisfação, como se você mesmo tivesse pensado naquilo.

— Um V?!

— A letra V. Assim.

Imitei como pude a posição pouco natural do morto, de lado, dobrado na cintura e com os braços e as pernas estendidos e retos, esquecido de que você não podia me ver. Cuervo interpretou a minha mímica desajeitada para você. Acrescentei que, se não me enganava, o vértice do V estava encostado no espelho. Não sei se usei a palavra "bunda", mas você entendeu. A bunda encostada no espelho, as pernas numa direção, os braços na outra. Você perguntou:

— Como, "se não me engano"?

Expliquei que não tinha certeza. Que estava nervoso, tonto de sono e ainda um pouco bêbado. Que nunca vira um morto na minha vida. Ou tanto sangue. Não podia ter certeza.

Você quis saber sobre o sangue.

O sangue formava um rastro largo no chão, como um

45

lençol vermelho. Rotkopf tinha sido arrastado para perto do espelho, ou ele mesmo se arrastara. Cuervo disse que era impossível saber. Quando a polícia chegara, muita gente já havia entrado no quarto. Alguém até tentara, absurdamente, reavivar o morto com massagens no peito. Havia pegadas sangrentas por toda parte. Os meus sapatos estavam sujos de sangue. O que mais eu vira no quarto? Falei das cartas sobre a mesa.

Eram três cartas, fazendo um leque interrompido. Duas, um espaço e a outra. As cartas, segundo Cuervo, tinham desaparecido. Ninguém mais as vira. Que cartas eram?

— O 10 de paus e o valete de espadas juntos, o rei de copas separado.

Vi no seu rosto e no de Cuervo a estranheza com tanta precisão, dado o meu estado de choque ao descobrir o corpo. Acrescentei:

— Eu acho.

— Você e ele tinham jogado cartas, no quarto? — perguntou Cuervo.

— Não. Só conversamos. E bebemos. Não vi nenhum baralho.

Eu disse *barajo*. Você me corrigiu:

— Baraja.

— Não vi nenhuma ba...

Parei porque você tinha feito um sinal com a mão, pedindo silêncio. Estava pensando. Outro sorriso de satisfação estava fugindo ao controle e se formando em sua boca.

Você disse:

— Jabberwocky.

— O quê?

— A palavra que Rotkopf lhe disse no telefone. Não era "Jabberwocky"?

— Pode ser...

— Tem uma história aí... — e você fez um gesto na direção de uma das estantes da sua biblioteca — em que o morto é encontrado...

— Apontando uma passagem do poema "Jabberwocky", do Lewis Carroll, no livro da Alice *Through the Looking Glass* — completei, caprichando no inglês para impressioná-lo. — No poema tem a pista do nome do assassino.

— Exatamente.

— Eu mesmo escrevi uma história em que o morto é encontrado apontando para a linha "como del otro lado del espejo" no seu poema "Edgar Allan Poe", Borges, e isso leva à solução do crime — contei.

Era uma das três histórias que eu lhe mandara e que tinham desaparecido dentro do seu silêncio. Na minha história, as iniciais de Edgar Allan Poe no outro lado do espelho formavam a palavra "pae". O pai era o culpado. E na história usei como epígrafe a sua frase sobre a paternidade e os espelhos serem igualmente abomináveis, porque multiplicam o número dos homens. Mas você pareceu não ter me ouvido. Disse:

— Como Rotkopf não tinha um exemplar do livro de Carroll à mão, disse o nome do poema. "Jabberwocky."

— Devemos procurar uma pista no poema? — perguntou Cuervo.

Você fez um gesto vago na minha direção.

— Talvez o senhor...

Você tinha esquecido o meu nome!

— Vogelstein — assoprou Cuervo.

— Vogelstein possa nos fazer o favor de procurar o livro. Tenho uma bela edição das obras completas de Carroll, acho que por aqui...

E sua mão flutuou para um lado, indicando uma das estantes. Eu já tinha me levantado para procurar o livro quando você continuou:

— Se bem que a mensagem que nosso amigo Rotkopf queria nos dar talvez fosse outra...

— Qual? — perguntou Cuervo.

— Na história da Alice, o poema está escrito numa língua estranha, que ela não consegue decifrar. Quando se dá conta de que está do outro lado do espelho, e que portanto tudo está do avesso, Alice coloca o livro contra um espelho, como o desafortunado doutor Rotkopf colocou seu próprio corpo, e tudo fica claro. Consegue ler o poema.

— Devemos, então, ler as pistas ao contrário.

— Nossas únicas pistas são o corpo em V e as cartas.

— E um V com o vértice encostado no espelho — disse você — é um X.

— De Xavier — disse Cuervo.

Ficamos os três em silêncio por alguns segundos. Depois você levantou as mãos, resignado, e disse:

— Aí está. O nome do assassino. Não se devem multiplicar os mistérios.

— Esses devem ser simples — continuou Cuervo. — Lembre-se da carta roubada de Poe, lembre-se do quarto fechado de Zangwill.

— Ou complexos — disse eu, completando a citação que os dois faziam. — Lembrem-se do Universo.

Você sorriu.

— Vejo que o senhor é meu leitor, senhor Vogelstein.

Eu quase disse: "E vi que o senhor não é meu, senhor Borges", mas não era hora para ressentimentos. Disse: "Da prosa e dos versos, senhor Borges". O êxtase, ou talvez o chá, tinham derrotado a minha náusea. Meu estômago era o centro irradiador de um cálido bem-estar, como a estufa que rodeávamos. Um sentimento que aumentou mais alguns graus quando você disse:

— Me chame de Jorge.

Cuervo estava de pé. Era preciso examinar melhor aquela porta entre o 703 e o 704. Também era preciso pensar na maneira mais diplomática de reter o doutor Xavier Maldonado de Llentes y Urquiza em Buenos Aires antes que ele voltasse para a sua propriedade em Mendoza, e convidá-lo a depor. Urquiza era um homem difícil, e controvertido. Você disse que nunca entendera como um aristocrático proprietário rural, católico praticante e intolerante, viera a ter teses sobre Edgar Allan Poe. Ele representava a Sociedade Israfel na Argentina. Diziam que sua biblioteca era uma das maiores do país. Você e ele se davam bem, embora raramente se encontrassem e sempre evitassem falar num determinado personagem. Quem? Deus. Para Urquiza, toda a obra do ateu Borges era "una teología en búsqueda de un centro".

— Só lamento que o morto não tenha dito logo o nome do assassino ao telefone, em vez de armar todo esse jogo — disse Cuervo.

— Isso porque você não é um ficcionista, Cuervo — disse você. — Eu e o senhor Vogelstein lamentamos que o jogo tenha sido tão fácil. Ainda tínhamos muitas brilhantes especulações literárias para fazer.

Yo y el señor Vogelstein! Você tinha me incluído na sua rápida dedução e me descrito como um igual. Éramos uma dupla de escritores e decifradores de universos, simples e complexos. Borges y yo, yo y Borges. Eu tinha sido aceito! Você talvez até se lembrasse da minha tradução na *Mistério Magazine*, da nossa troca de cartas, das minhas cartas sem resposta, da minha insistência em vê-lo, dos meus três contos... Sabia quem eu era desde o momento em que Angela nos apresentara no coquetel e estava brincando com a minha ansiedade, apenas protelando a revelação de que me reconhecera, e que me aceitava. Apenas fingindo que esquecera o meu nome. Você também estava fazendo um jogo comigo, Jorge. Não estava?

Minha felicidade não chegara ao meu rosto, aparentemente, pois Cuervo disse que meu aspecto estava péssimo e sugeriu que tentasse dormir um pouco. Ele me acompanharia até o hotel. Antes de nos despedirmos, olhei de novo aquela biblioteca em que me vira tantas vezes em pensamento. Só uma coisa não correspondia ao sonho: não esperava ver tantos livros fora das estantes, empilhados sobre mesas ou no chão. Comentei a quantidade de livros e você disse que muitos eram do seu pai.

— Ele dizia que a quantidade de livros era a única riqueza que tinha em comum com o rei da Boêmia. Nunca entendi a frase, o que não impediu que sempre me sentisse como um herdeiro do rei da Boêmia nesta biblioteca. Nas minhas pesquisas para o *Tratado final dos espelhos* tenho me deparado com as experiências feitas na biblioteca de Rodolfo ii, onde a leitura com espelhos era comum, e me sinto em casa. Esta biblioteca é uma modesta filial da biblioteca real de Praga, se é que ela ainda existe. Mas a biblioteca de Urquiza é maior.

Examinei as gravuras de Piranesi na parede e disse a você que também admirava aquelas ruínas imaginárias tão meticulosamente retratadas.

— Viver significa deixar ruínas — citei.

— Quem disse isso? — perguntou você.

— Walter Benjamin, num texto sobre Poe.

Quando estávamos saindo da biblioteca, você disse:

— Y las cartas? O 10, o valete e o rei?

Cuervo deu de ombros e disse:

— Pense nelas, enquanto conversamos com o doutor Xavier.

— Me lembrei de uma coisa! — disse eu.

— O quê?

— Nas cartas. O valete tinha os olhos furados.

A alegria finalmente venceu todos os controles e dominou o seu rosto, Jorge.

* * *

—Traços.

Foi a primeira coisa que você disse, quando volta-
mos à sua biblioteca, no fim daquela tarde.

—O quê?

—Viver significa deixar traços, não ruínas. Walter Benjamin.

Você estava sentado na mesma poltrona. Um resto
de sol de julho ainda entrava pela janela, mas a biblioteca estava na penumbra. Cuervo propôs que se acen-
desse uma lâmpada.

—Se for algum ponto que requer reflexão... — começou
você.

Cuervo e eu continuamos a citação de Poe em uníssono, ele em espanhol e eu em inglês:

—... o examinaremos com melhor proveito no escuro.

Rimo-nos os três.

—"O Escaravelho Dourado" — disse eu.

Cuervo ficou chocado com o meu erro, depois de
ter identificado a frase de Auguste Dupin tão pronta-
mente. Você ficou apenas intrigado.

—Não, não — disse Cuervo. — "A carta roubada".

—Claro. É que, não sei por que, "O Escaravelho Dourado" me parece mais pertinente a esse caso.

Você continuou pensativo. Cuervo, agitado, não se sen-
tara. Estávamos de volta à sua biblioteca porque as investigações no hotel tinham sido frustrantes. Enquanto
eu dormia no meu quarto, Cuervo e seus comandados
testavam todas as hipóteses sugeridas pela pista dada

pelo morto. Se é que o X se referia a Xavier Urquiza. Mesmo se Urquiza tivesse acesso à chave da porta que ligava seu quarto ao quarto de Rotkopf, que só era usada no caso de alguém ocupar os dois e precisar de uma conexão entre eles, a porta definitivamente não fora aberta nos últimos seis meses. O hotel sofrera uma remodelação recente que incluíra uma pintura geral. A tinta cobrira o espaço entre a moldura e a porta. A tinta estava intacta.

— Esperem — disse eu. — No conto do quarto fechado de Poe, "The Big Bow Mystery", o assassino...

Mais uma vez eu tinha espantado Cuervo, agora trocando a história de Poe pela de Zangwill. Era ainda efeito da noite anterior.

— Você quer dizer no conto "Assassinato na rue Morgue", do Poe...

— Claro, claro. No conto do Poe, o assassino é um orangotango, que entra pela janela. Quando ele sai pela janela, esta se fecha e a fechadura dá a impressão de ter voltado para o lugar, mas...

— Examinei muito bem as janelas — disse Cuervo, com impaciência. — Não esqueça que eu escrevi uma tese sobre "Assassinato na rue Morgue". As janelas estavam bem fechadas por dentro.

Você estava se divertindo conosco.

— Gostaria de saber — disse — se os senhores pensaram seriamente que um orangotango, recrutado à ultima hora e rapidamente treinado pelo doutor Xavier, poderia ter subido ao sétimo andar do hotel pelo lado de fora, segurando um punhal entre os dentes...

— Não esqueça, meu caro Borges, que o prédio do hotel é antigo, com um exterior coberto de adornos e portanto escalável, e que o doutor Xavier tem um filho que não apenas se parece com um orangotango como, morando em Mendoza, ao pé dos Andes, é um alpinista experimentado. Dizem, aliás, que só o que ele faz na vida é alpinismo, real e social, para grande desgosto do pai. Intelectuais, muitas vezes, têm filhos cretinos. Neste caso, no entanto, é um cretino inocente. Depois do coquetel no Plaza, foi jantar com amigos, depois foram a uma boate, e era lá que ele estava, cercado de testemunhas igualmente idiotas, na presumível hora do crime.

— Você chegou a falar com Xavier Urquiza? — perguntou Borges.

— Sim. O doutor Xavier expressou sua sincera felicidade pela morte do alemão, só lamentando que não tivessem arrancado seu coração, como num ritual asteca, mas ponderando que talvez fosse difícil encontrar um coração para arrancar naquele peito.

Xavier Urquiza contara a Cuervo que tinha um sono pesado e que não ouvira nada do quarto ao lado, nem do assassinato, nem da porta sendo arrombada, nem da movimentação no corredor e no quarto depois da descoberta do corpo. Não havia nada comprometedor no quarto de Urquiza, embora Cuervo só o tivesse examinado superficialmente, enquanto conversavam. Nenhum traço de sangue, no chão ou em qualquer lugar. Nenhum sinal de tensão ou dissimulação em Urquiza. Nada.

O X nos levara a nada.

A escuridão dentro da biblioteca agora era quase completa. Cuervo caminhava de um lado para outro, não sei se procurando uma lâmpada para acender ou porque aquele era o seu modo de raciocinar.

— Não vamos abandonar o X tão cedo — disse você. — O que mais ele pode significar?

— Na matemática, é o símbolo do desconhecido, ou de uma quantidade variável — propôs Cuervo.

— Victor Hugo escreveu que o X significava espadas cruzadas, um combate de desfecho incerto, e por isso simbolizava o destino para os filósofos e o desconhecido para os matemáticos — a minha contribuição.

Cuervo:

— Pode significar a cruz, ou Cristo...

Você:

— Sir Thomas Browne, um magnífico louco do século XVII e um dos meus autores favoritos...

— E o autor, por sinal, do texto que Poe usa como epígrafe de "Assassinato na rue Morgue"... — disse Cuervo.

— E que, por sua vez, é uma tradução de um trecho da vida do imperador Tibério escrita em latim por Suetônio... — acrescentei eu, encerrando nosso pequeno minueto de erudição, para a satisfação geral.

— Sir Thomas Browne tem um tratado sobre o X, que seria a representação da união do saber temporal e do saber mágico, a pirâmide para baixo e a pirâmide para cima — continuou você. — E também a duplicação do V, a letra romana com maior carga mística, pois representa os cinco sentidos humanos e é ao mesmo tempo forma, letra e número, ou geometria, escrita e matemática, os três meios para se interpretar o mundo. Mas é melhor não derivarmos para essa senda escura. Pois acabei de me lembrar que Poe tem uma história em que o X substitui o O. Chamada...

— "X-ing a Paragrab"! — completamos Cuervo e eu, novamente em uníssono.

Claro! No conto de Poe um editor de jornal com a mania de usar a letra O em seus textos descobre que, na falta do O na caixa de tipos do seu jornal, este foi substituído pelo X num dos seus artigos, para grande perplexidade dos leitores e satisfação dos seus inimigos. O X formado pelo corpo de Rotkopf em V com o vértice encostado no espelho representaria, na verdade, um O.

— Não é fácil formar um O com o corpo, ou um C que se transformaria em O com a ajuda do espelho. Mas qualquer leitor do Poe entenderia que X poderia significar O — disse eu. — E seria natural para um criptógrafo como Rotkopf substituir uma letra por outra.

— Rotkopf era criptógrafo? — perguntou você.

— Foi, durante a guerra. Não sei de que lado.

E contei o pouco que sabia, pelas suas cartas, da biografia do alemão.

— Muito bem, em vez de X, temos um O — disse Cuervo.

Alguém acendeu uma luz na biblioteca, com admirável intuição dramática, um segundo antes de você dizer:

— "O" de "Oliver".

Oliver Johnson manifestara, mais de uma vez, a intenção de matar Joachim Rotkopf. Ocupava o quarto ao lado do dele, no hotel. Era um homem de uns sessenta anos mas parecia estar em boa forma física, apesar da barriga de pashá. E com ódio suficiente para entrar no quarto do inimigo, enfiar uma faca no seu pescoço e duas vezes na sua barriga, e sair. Mas entrar e sair, como? Isso caberia ao próprio assassino revelar, no devido tempo. Cuervo não pareceu muito contente com a perspectiva de interrogar o americano como suspeito baseado apenas num suposto X que significava O. Aquele morto estava ficando críptico demais para Cuervo. Por que não falava claro? Não parecia razoável, um homem se esvaindo em sangue e preparando um tableau acusatório com aquela minúcia, confiando na dedução de leitores de Poe.

— Não estamos sendo muito científicos — protestou Cuervo.

Mas conversaria com Johnson e examinaria o seu quarto.

—No quarto de Rotkopf, havia sinais de uma busca? Gavetas abertas, papéis revirados?

A sua pergunta era para mim.

— Não notei — respondi. — Mas não prestei muita atenção. Estava atordoado com a visão do corpo, do sangue...

— Quando a polícia chegou, tudo no quarto estava revirado — interrompeu Cuervo. — Inclusive o morto. Por quê?

— Ouvi Rotkopf dizer no coquetel que tinha provas de que a tese de Johnson sobre Poe e Lovecraft era absurda, e um plágio — disse você. — Johnson queria impedir que Rotkopf fizesse a sua conferência e apresentasse estas provas, hoje. Matou Rotkopf e sumiu com as provas. Está aí o motivo do crime. Orgulho intelectual ameaçado. Muito mais convincente do que a simples antipatia, ainda mais tratando-se de acadêmicos. Rotkopf lhe mostrou algum documento que usaria hoje contra Johnson, Vogelstein?

— Não. Só disse que revelaria ao mundo a peça que pregara em Johnson.

E contei como Rotkopf inventara uma interpretação cabalística para o poema "Israfel" lido no espelho, que Johnson tomara como verdadeira. Você e Cuervo se lembravam da embaraçosa cena do alemão comprido sacudindo sua bengala e cantando "Israfel, Israfel, does it ring a bell?" para Johnson no meio do salão do Plaza.

— Um homem decididamente esfaqueável, esse Rotkopf — comentou você.

Cuervo estava se encaminhando para a porta, claramente desanimado com a missão que o esperava.

— O doutor Johnson será convidado a depor. Prevejo complicações diplomáticas. Você vem?

Cuervo se dirigia a mim, mas foi você que respondeu.

— O senhor Vogelstein fica. Acho que conseguirei interessá-lo num caldo quente e bolachas monásticas.

E Cuervo saiu, me deixando a sós com você, no paraíso.

o

Lembro de tudo o que dissemos naquela noite. Exatamente.

Eu:

— O. A mãe das vogais. Símbolo de Deus. O que não tem começo nem fim.

Você:

— Uma serpente comendo o próprio rabo para sempre. Símbolo de Eternidade.

Eu:

— Sua origem é a palavra semita *ayin*, *olho* para os fenícios.

Você:

— Não creio. Deve ser um pictograma do Sol. O símbolo do faraó Akhnaton, que foi quem primeiro teve a idéia de um deus como "autor" do Universo. E, por conseqüência, do autor como um deus. Nosso padrinho, Vogelstein.

Eu:

— Li em algum lugar que você gostaria de escrever numa língua nórdica, porque tem mais vogais e as vogais são mais sérias.

Você:

— Eu disse isso? Mas as línguas latinas têm mais vogais do que as nórdicas! Acho que quis dizer que gostaria de escrever numa daquelas línguas arcaicas do norte, que eram quase só vogais. Sempre me pareceu que tinha alguma coisa a ver com o clima. Eram línguas quentes, termicamente isoladas pelas vogais amontoadas.

Eu:

— Já o hebraico antigo só tinha consoantes. Seria para

não haver perigo de escreverem o nome secreto de Deus por descuido.

Você:

— Ou talvez também tivesse a ver com o clima. As consoantes eram mais abertas e arejadas, mais adequadas para uma língua do deserto.

— Você também disse que odeia as letras sem serifa.

— Terríveis! Aquelas letras desnudadas, reduzidas aos seus andaimes pontudos. Ninguém pode reconhecer a sua língua-mãe num tipo Futura. Falta o calor maternal, falta a amabilidade.

— Receio que Cuervo tinha razão: somos pouco científicos.

— E preconceituosos. As vogais são dispensáveis. Um texto escrito só com vogais seria ilegível, mas num texto só de consoantes as vogais podem ser presumidas. Um texto em que um X substituísse todos os Os, como na história do Poe, daria trabalho mas seria finalmente decifrável.

— O fato de o E ser a letra mais usada em inglês é a chave para decifrar o código do pergaminho, no "Escaravelho Dourado", do Poe...

— A propósito, fiquei curioso. Por que você disse ao Cuervo que "O Escaravelho Dourado" era mais pertinente a este caso?

Antes que eu pudesse responder, chegaram os caldos e as bolachas, servidos nas nossas poltronas por uma mulher de preto com cara de índia, e passamos à silenciosa tarefa de mastigar e equilibrar pratos, você com muito mais destreza do que eu. Depois, e pelo resto daquela noite mágica, falamos de Oliver Johnson, das suas teorias e do *Necronomicon*, o livro dos nomes mortos. Era a hora de enveredarmos por esse caminho escuro. Lembro de tudo.

Sabíamos cada um um pouco das teses de Johnson e das suas conjeturas sobre H. P. Lovecraft, Poe e o ocultismo. Começando pelo seu livro *The Nameless City*, A cidade sem nome, publicado pela primeira vez em 1921, e em quase todo o resto da sua estranha obra, o americano Lovecraft faz repetidas referências a um livro misterioso, chamado originalmente *Al Azif* e escrito em Damasco por um suposto poeta louco, Abdul Alhazred, ou El Hazzared, no século I da era cristã. Para simular sua autenticidade, Lovecraft providenciara uma história cronológica e até uma pseudobibliografia do livro, que teria sido traduzido para o grego com o título *Necronomicon* e depois para o latim, antes de ser proibido pelo papa Gregório IX em 1232. Haveria uma edição alemã de 1440, uma em grego editada na Itália entre 1500 e 1550, e uma tradução inglesa feita por John Dee por volta de 1600, que era a citada por Lovecraft. O livro proibido, baseado em alucinações do poeta louco induzidas pela mastigação de uma certa erva alcalóide, conteria o nome de todas as entidades do Mal que dominavam a Terra antes do Homem — os nomes mortos, cuja evocação e reprodução escrita ameaçariam a Humanidade.

Você:
— Sempre se pensou que o *Necronomicon* fosse pura in-

venção de Lovecraft, que gostava de histórias misteriosas, com alusões falsamente eruditas a ritos obscuros,
como Poe.

Eu:

— E como Borges.

Você, fingindo que não me ouvira:

— Pensava-se até que o nome do poeta louco, Alhazred,
ou "El Hazzared", fosse uma brincadeira de Lovecraft
com "Hazzard", um dos nomes de sua família.

Eu:

— Até Johnson começar a notar curiosas semelhanças
entre o *Necronomicon* e outros textos de filosofia ocultista, da tradição hermética da maçonaria egípcia e até
de origem mais remota no tempo, e descobrir que o
próprio Lovecraft duvidava da espontaneidade da sua
criação.

— Ou seja, Lovecraft não estava inventando nada. Intuí-
ra uma verdade e a revelara sem querer.

— Ou inventara a verdade.

— Em Estocolmo, no ano passado, no papel que não conseguiu ler porque Rotkopf e Urquiza não o deixaram falar, mas que publicou depois, Johnson sugeriu que Lovecraft descobrira ter sido o instrumento involuntário
de uma revelação. Lovecraft se convenceu de que o *Necronomicon* era verdade, existia mesmo, e de que Poe
também o conhecia. Ou Poe também fora usado pelas
entidades ocultas para se manifestarem em palavras.

— Pois Poe, segundo Lovecraft, segundo Johnson, também costumava mastigar a tal erva alcalóide que facilitava o entendimento da prosa do poeta louco. E sua obra
trazia referências veladas aos terríveis nomes mortos.

— A identificação de Lovecraft com Poe, afinal, não se deveria apenas ao fato de ambos serem da Nova Inglaterra, terra de feitiçaria e vales sombrios, o único equivalente americano às florestas assombradas da Europa. Os dois usariam o mesmo código esotérico. Ou teriam, por acaso, tropeçado no mesmo código e destampado um ninho de significados ocultos.

— Lovecraft podia, claro, também estar inventando esta sua ligação secreta com Poe, a quem admirava, e até imitava.

— Ou Johnson pode ter provas de que os dois eram, mesmo, intérpretes, voluntários ou involuntários, de uma mesma linguagem cifrada, o que revolucionaria o estudo da obra de Poe.

— Provas que Rotkopf iria desmoralizar, se não tivesse sido assassinado.

— Desmoralizar, como?

— Pois é. Sabendo isso, saberemos o motivo do crime. Esperemos que Cuervo esteja, neste momento, cientificamente, procurando o documento desmoralizador de Rotkopf que o assassino não queria que fosse lido hoje, ou o documento de Johnson que Rotkopf ia desmoralizar. Embora eu desconfie...

Você parou de falar. Estávamos os dois encurvados para a frente nas nossas poltronas de couro antigas, a estufa elétrica ronronando aos nossos pés como um cúmplice. Jorge y yo, los conspiradores de pés quentes. A única lâmpada acesa fazia um círculo de luz desmaiada que mal nos iluminava e deixava o resto da biblioteca no escuro. O seu gesto episcopal com as mãos abertas incluiu as estantes invisíveis à nossa volta, antes de você terminar a frase:

—... que a solução esteja aqui. As soluções estão sempre nas bibliotecas.

O dr. John Dee, a quem Lovecraft atribuía a tradução do seu livro apócrifo, existira. Era um mago e cosmógrafo inglês, astrólogo da rainha Elizabeth i, e foi um dos primeiros a examinar com algo parecido com método científico a existência de universos paralelos e de forças misteriosas que buscam expressão na palavra escrita.

— A palavra escrita, Vogelstein — disse você, ainda com as mãos estendidas para suas estantes. — A poderosa palavra em que tudo deve se transformar para ser invocado e existir. De que qualquer sistema, natural ou sobrenatural, lógico ou mágico precisa para ter uma história, pois é preciso escrever para recordar e entender, ou para prever e dominar. E que você e eu manejamos sem nenhuma licença especial, muitas vezes como crianças inocentes brincando com pistolas carregadas.

— Ou facas afiadas.

— Ou facas assassinas. Temos o dom de colocar uma palavra depois da outra com coerência e criatividade, mas podemos estar servindo a uma coerência que desconhecemos e inventando verdades aterradoras. Escrevemos para recordar, mas as recordações podem ser de outros. Podemos estar criando universos, como o deus de Akhnaton, por distração. Podemos estar colocando monstros no mundo sem saber. E sem sair das nossas cadeiras.

— Esse doutor John Dee não freqüentava a corte de Rodolfo II, em Praga?

— Sim!

Você estava encantado com o meu conhecimento de Rodolfo II, rei da Boêmia, aquele outro magnífico maluco do século XVI, que mantinha alquimistas trabalhando em tempo integral no seu castelo e reunia astrólogos, videntes, adivinhos e estudiosos do oculto como Edward Kelly e John Dee na sua gigantesca biblioteca para discutir os mistérios da metafísica, as suas possibilidades de ser o primeiro a quebrar o código secreto da vida e do domínio sobre o tempo e os elementos e, portanto, de ser o primeiro rei imortal.

— Me informei muito a respeito de John Dee para o meu estudo do espelho na literatura e nas artes mágicas através do tempo — disse você. — Que escrevo, um pouco, para exorcizar o pavor de espelhos que tenho desde criança. Os espelhos também eram uma obsessão de John Dee. Um *speculum* da sua coleção, um pedaço sólido de vidro do tamanho de uma bola de tênis que ele usava nas suas experiências, está exposto no Museu Britânico. Quando o vi pela última vez, eu enxergava mais do que enxergo agora. Notei que o *speculum* emitia uma luz misteriosa, como um halo pulsante. Comentei isso com a pessoa que me acompanhava, e a pessoa disse: "Que luz?".

— Só você a via...

— Só eu a via. Se acreditasse nessas coisas, diria que John Dee estava tentando se comunicar comigo através do tempo. Num código só conhecido por antigos e novos freqüentadores da biblioteca do rei da Boêmia, a real e a imaginária. Não dei mais atenção ao fato.

— Já que não acredita nessas coisas.

— Sou como um amigo meu que foi visitar a catedral de Chartres e começou a levitar diante de um dos vitrais, até se lembrar de que não era místico e voltar para o chão.

— Imagine as maravilhas que saberíamos, se acreditássemos nas coisas em que não acreditamos.

Você estava com a cabeça inclinada para trás. Ficou em silêncio por algum tempo, com um meio sorriso nos lábios. Depois falou:

— O *speculum* de John Dee no Museu Britânico deve continuar pulsando o seu código "para os meus olhos apenas", como carimbam nos documentos ultra-secretos, segundo os livros de espionagem. Só que meus olhos não podem mais cumprir a tarefa.

Era de John Dee também a tese de que as letras têm histórias mágicas, a história da sua forma desde a forma original, a que Deus transmitiu a Adam Kadmon, o Primeiro Homem da Cabala, quando lhe revelou o seu nome secreto. Todas as transformações do alfabeto seriam tentativas de disfarçar a forma original, para que o nome secreto de Deus jamais fosse escrito por engano. As combinações de vogais e consoantes, segundo Dee, eram combinações de poderosas forças místicas que só o acaso impedia de ter conseqüências graves, pois a qualquer momento um texto qualquer poderia, acidentalmente, acabar com o mundo.

— Ou, acidentalmente, revelar o vocabulário secreto do mundo — disse eu.

— Sim! Por isso, no hebraico antigo, as vogais não tinham forma. O nome de Deus era uma sigla de quatro consoantes, o Tetragrammaton. Para prevenir contra o risco de, um dia, algum irresponsável como nós, Vogelstein, inserir as vogais certas e escrever o nome completo de Deus pensando que está escrevendo um epigrama. E fazer explodir o Universo.

— Sem sair de nossas cadeiras.

— Desconfio que os índios cherokee foram mais duramente tratados e segregados pelo governo americano, não porque fossem os mais selvagens, mas pelo contrário. Porque foram os únicos que desenvolveram uma escrita silábica. Porque podiam combinar vogais e consoantes e escrever para recordar, e dar acesso à palavra escrita aos seus demônios.

— Entraram para a nossa tribo.

— Que é perigosíssima. Deveríamos ser mantidos em reservas, com guardas armados. E a nossa produção literária examinada diariamente, como os ministros examinavam as fezes dos imperadores da China para saber do seu mundo interior.

— Hmmmm — comentou a estufa elétrica.

Você continuou, com um sorriso, prevendo a minha reação:

— Foi John Dee o primeiro a falar no Orangotango Eterno...

— No quê?!

69

— Pois é, outro orangotango.

— Quais serão as probabilidades estatísticas de a mesma história ter dois orangotangos hipotéticos?

— Imagino que sejam iguais às de o mesmo japonês ser derrubado duas vezes no mesmo coquetel.

— Provavelmente.

— O Orangotango Eterno de Dee, munido de uma pena resistente, de tinta que bastasse e de uma superfície infinita, acabaria escrevendo todos os livros conhecidos, além de criar algumas obras originais. Estas de qualidade duvidosa, pode-se imaginar. Foi pensando no perigo representado pelo Orangotango Eterno que Rodolfo II teria conseguido reunir, na sua biblioteca em Praga, por volta de 1585, representantes das três principais filosofias gnósticas: a apocrifia cristã, nascida de um suposto Segundo Livro de Esdras que não entrou na Bíblia, a Cabala judaica e uma terceira corrente, ainda mais antiga e obscura, originária das tábuas mágicas da biblioteca de Assurbanipal. À qual pertenceria o *Necronomicon* "inventado", entre aspas segundo Johnson, por Lovecraft.

— Lovecraft sendo um notório exemplo moderno do Orangotango Eterno em ação, pois inventou uma verdade que já existia.

— Exatamente. É preciso não esquecer que, em 1585, a terrível criação de *Herr* Gutemberg já tinha mais de cem anos de existência, o livro se vulgarizara e o Orangotango Eterno tinha a seu hipotético dispor não apenas toda a eternidade, como tipos móveis, para brincar de juntar vogais e consoantes. Aumentara o risco de a linguagem esotérica ser decifrada por engano, ou de alguém, sem querer, chegar ao vocabulário secreto do Universo que os ocultistas procuravam, e ao poder que ele traria. Com a proliferação da escrita, aumentava o risco da coincidência, sem a qual, claro, nada na História acontece.

— Uma vez escrevi uma história sobre a greve dos deuses. Um a um, os deuses que regem a existência humana entram em greve, sem afetar a vida de ninguém. O deus da paixão, o deus dos desejos, o deus da mesquinhez e da grandeza... Nenhuma greve tem efeito sobre o destino dos homens, fora algumas privações e mal-entendidos. Só quando o deus das coincidências pára é que a história de cada um muda. No meu conto, que se chama "O Deus das coincidências", Édipo morre de velho, sem drama, sem nunca saber sua história verdadeira, cercado de netos.

Esse era o segundo dos três contos que eu lhe mandara, Jorge, sem receber resposta. Você não deu sinal de reconhecê-lo. Comentou:

— Sem a coincidência, o Orangotango Eterno poderia escrever quanto tempo quisesse, e jamais produziria o *Hamlet*. No máximo reescreveria um dos poemas silvestres do meu primo distante Juan Carlos Borges, de quem você nunca ouviu falar. Aliás, sempre desconfiamos que era um macaco que escrevia seus poemas.

Eu não quis contar que conhecera seu primo distante para não ter que contar as circunstâncias do nosso encontro, vinte e cinco anos antes. Da mesma maneira que evitara dizer que o Orangotango Eterno de Dee era o terceiro orangotango hipotético da nossa história, pois você mencionara outro na carta em que reclamava

71

do rabo anexado ao seu conto na *Mistério Magazine*. Você sabia ou não sabia quem eu era, Jorge? Naquela noite mágica, o jogo continuava ou não continuava?

Você contou que na fantástica biblioteca do rei da Boêmia recorriam à coincidência para tentar evocar a linguagem espiritual que circulava pelas esferas e pelos sonhos e procurava expressão e conseqüência nas palavras, nas vogais e nas consoantes. Tiravam livros das estantes de olhos fechados, abriam numa página qualquer e escolhiam uma linha sem olhar, copiando-a em seguida. O processo se repetia até que completassem um parágrafo com razoável coerência, ou com uma incoerência promissora para ser interpretada. Você se lembrava de fazer o mesmo na biblioteca do seu pai, aquele outro rei da Boêmia, e de acabar com histórias maravilhosas, em que duendes conviviam com tribunos, prostitutas citavam Descartes e baleias brancas subitamente emergiam no pampa.

— Dizem que John Dee, concentrando-se, conseguia fazer livros voarem das estantes e caírem no chão da biblioteca de Praga, abertos, e então todos estudavam o conteúdo das páginas expostas e tentavam entender a sua mensagem. Pois nada era acaso, tudo era mensagem.

— Nisso eu acredito. Tudo *é* mensagem. Até a forma que tomam os fios de cabelo grudados no sabonete — disse eu.

Você riu e disse:

— Uma forma de comunicação com o além inacessível a banhistas cegos.

E então a velha índia vestida de preto emergiu da escuridão à nossa volta como uma aparição e transmitiu uma mensagem "de la señora". Borges precisava dormir. Você abriu os braços e disse, sorrindo: "Hay que obedecer a órdenes superiores". E quando a empregada se retirava, esbarrou numa mesa e ouvimos o ruído de um livro que caía no chão. Imediatamente você deu ordem para ela deixar o livro no chão e me pediu para ir buscá-lo. Era uma seleção de contos de Poe que você tirara da estante para relembrar, quando soubera que o congresso da Israfel Society, surpreendentemente, se realizaria em Buenos Aires, e sua participação, mesmo mínima, seria requisitada. Você perguntou:

— O livro caiu aberto?

— Sim — respondi.

— Em que conto?

— "O Escaravelho Dourado".

— Claro.

Depois você disse que a morte do desafortunado Rotkopf pelo menos nos proporcionara aquela oportunidade de nos conhecermos, conversarmos e chegarmos a soluções.

— Mas não chegamos a solução alguma! — protestei.

— Melhor — disse você. — É um pretexto para conversarmos mais.

E já no meio da escuridão que separava o nosso círculo encantado da porta da sua biblioteca, ouvi sua voz aveludada dizer:

— Nem falamos no valete cego!

W

Fui acordado na manhã seguinte por um telefonema do meu primo Pipo. Os jornais tinham dado a história do assassinato, meu nome aparecia no noticiário e Pipo disse que minha tia Sofia estava muito preocupada. Ele tinha movimentado o seu staff e este, milagrosamente, me localizara. Eu podia contar com ele para o que precisasse. Inclusive, se fosse o caso, um advogado, o melhor de Buenos Aires. Agradeci e disse que não precisava de nada e que o manteria informado. Perguntei como ia a tia Sofia e, sem notar que se contradizia, Pipo respondeu que ela estava bem mas não tinha mais consciência de nada e só falava coisas ininteligíveis, no que parecia ser alemão. A voz do Pipo tinha ficado ainda mais fina com os anos. Pedi o café da manhã no quarto e fiquei na cama, pensando com prazer na nossa conversa da noite anterior, até ter que me levantar para desengatar a corrente e deixar entrar o garçom que trazia o café. Imagino que todos os hóspedes do hotel tenham dormido com as suas portas bem trancadas naquela noite.

Foi um dia de novidades, como você se lembra, Jorge. A maior de todas foi que naquela manhã Cuervo e sua equipe descobriram não um, mas três punhais no hotel.

O hotel tinha dois poços de ventilação estreitos. Para um poço davam as janelas de banheiro dos quartos com números terminados em 1 e 2, para o outro as dos quartos terminados em 4 e 5. Os banheiros dos quartos terminados em 3, como o 703, em que Rotkopf fora esfaqueado, não tinham janela. Duas facas haviam sido encontradas no fundo do poço que servia os quartos 701 e 702, a outra no fundo do poço que servia o 704. Nenhuma faca tinha traços de sangue, mas as três — me informou o excitado Cuervo, quando nos encontramos na portaria do hotel perto do meio-dia — estavam sendo examinadas em laboratório.

Na noite anterior, enquanto você e eu conversávamos sobre hipotéticos congressos de gnósticos na Praga do século XVI, Cuervo fazia o seu trabalho. Ouvira o ocupante do quarto 701, que era ninguém menos do que o japonês biderrubado do coquetel, um professor de literatura inglesa e americana em Kyoto chamado Ikisara, que comparecia a todos os congressos da Israfel Society e que naquele participaria de um painel sobre personagens femininas em Poe. O japonês contou à polícia que ouvira a minha barulhenta chegada com Rotkopf no hotel e me vira entrando e, quarenta minutos depois, saindo do quarto do alemão, visivelmente embriagado. Mais tarde, às onze e meia, fora acordado pelo ruído de alguém batendo violentamente na porta do quarto de Rotkopf e gritando "Abra! É Johnson!". As batidas tinham se repetido várias vezes, mas quando ele chegara na porta para protestar contra o barulho não vira mais ninguém, não sabendo se Johnson tinha entrado no quarto de Rotkopf ou voltado para o seu. Meia hora mais tarde, o japonês fora de novo acordado por batidas e uma voz que gritava "Abra! É Urquiza!". Outra vez, quando chegara na porta o japonês só vira o corredor vazio. Não poderia dizer se Rotkopf abrira a porta para

Urquiza ou se este desistira e voltara para o seu quarto. Finalmente, de madrugada, o professor Ikisara acordara com as minhas batidas insistentes na porta do alemão e entreabrira a porta do seu quarto. Notara minha agitação incomum e acompanhara toda a movimentação no corredor a partir daí. Me vira sair correndo, depois voltar com o porteiro da noite. Nos vira arrombar a porta. Vira o porteiro da noite entrar correndo no elevador, de olhos arregalados, e, seis ou sete minutos depois, várias pessoas invadirem o corredor, vindas do elevador e da escada. E vira, horrorizado, todos os que entravam no quarto 703 sair de pés ensangüentados.

— Três punhais?!
— Três. Tamanhos diferentes. Os três atirados nos poços recentemente, isso deu para ver. A perícia dirá qual dos três foi usado no crime.
— Talvez os três tenham sido usados no crime.
— Por favor... — disse Cuervo, apertando dramaticamente as têmporas com as pontas dos dedos, antecipando a dor de cabeça. — *Todo, menos rituales.*
— Borges vai gostar de saber dos três punhais — disse eu.
— Sim, Borges vai gostar de saber... — suspirou Cuervo, como se isso também fosse razão para a sua provável enxaqueca.

Combinamos que, depois de almoçar juntos, voltaríamos à sua biblioteca levando as novidades do dia.

Durante o almoço Cuervo me contou que, como previra, tivera dificuldade para interrogar Oliver Johnson, que só concordara em responder perguntas na presença de um representante do consulado americano. Johnson negava ter batido na porta do quarto de Rotkopf por volta das onze e meia. Sentia a morte do dr. Rotkopf, mas não podia dizer que se surpreendera. Rotkopf era um provocador, era irritante, se tivesse uma oportunidade, ele mesmo... E então Johnson se controlara, dando-se conta de que, se tivesse batido na porta de Rotkopf e este a tivesse aberto, teria sua oportunidade. E sua razão para negar que batera na porta.

Johnson concordara em ficar em Buenos Aires mais alguns dias, até que tudo se esclarecesse. Mas não ficaria no hotel. O consulado providenciaria outro alojamento para ele.

— E Urquiza? — perguntei.

— Ele também nega ter batido na porta de Rotkopf por volta da meia-noite. Repete que não ouviu nada do que se passou no 703.

— Admitindo que um dos dois esteja mentindo e seja o assassino, o assassino das onze e meia ou o assassino da meia-noite, como se explica que Rotkopf me telefonou às três da madrugada?

— Ele pode ter sido esfaqueado a qualquer hora depois que você o deixou no quarto. Pode ter levado horas para morrer. Pode ter levado horas para se arrastar até o telefone.

— E depois para se arrastar até o espelho.

— É. E deixar a inicial do assassino...

Cuervo decididamente não compartilhava do nosso entusiasmo pelos esforços criptográficos do morto, Jorge.

Eu também tinha novidades. Duas, mas só uma podia ser contada. Ao chegar no hotel na noite anterior, encontrara Angela na recepção. A suspensão do congresso estava exigindo trabalho dobrado das recepcionistas, que precisavam tratar de cancelamentos de reservas e alterações de passagens e cuidar dos congressistas atônitos. Angela estava exausta e propôs que subíssemos para tomar alguma coisa no meu quarto. Começou a tirar a roupa antes mesmo de chegar o serviço de quarto, e deixamos os uísques intocados na mesa de cabeceira. Diante da sua nudez e do seu ardor carinhoso, eu podia me credenciar como um congressista atônito. Ela tinha um sinal exatamente entre os dois seios e outro exatamente entre esse e o umbigo, formando com os mamilos e o sinal da testa uma espécie de cruz pontilhada, numa simetria desconcertante, mas o detalhe que mais agradaria a tia Raquel era que ela também era judia. Um anjo judeu chamado Angela. Quando o telefonema do Pipo me acordou, ela já tinha ido embora. A novidade que eu podia contar, apenas omitindo que a súbita lembrança me viera com a cabeça entre aqueles seios angelicais, era que o corpo em V de Rotkopf não estava com a bunda encostada no espelho, como eu dissera. Eu me enganara. Deitado sobre a cruz no corpo de Angela depois do amor, assim apaziguado, eu lembrara melhor. O corpo em V de Rotkopf tinha os pés encostados no espelho e a bunda virada para a porta do quarto. Quando eu entrara pela porta, não vira um X, vira um W!

Decidi não contribuir para a iminente dor de cabeça de Cuervo com essa informação. Guardaria para você, Borges. Perguntei:

— Afinal, a inicial certa é X de Xavier ou O de Oliver?

— Pode ser qualquer uma. Se só um dos dois negasse ter batido na porta de Rotkopf, seria o suspeito natural. Mas os dois negaram. Se os dois bateram na porta de Rotkopf, para quem Rotkopf abriu a porta? Johnson bateu primeiro, segundo o japonês. É o suspeito preferencial. Mas qualquer um dos dois pode ter matado Rotkopf, voltado para o seu quarto e atirado a faca pela janela do banheiro. As duas janelas davam para poços.

— Mas num dos poços havia duas facas.

— Pois é... — disse Cuervo, com uma careta de quem preferia não ter sido lembrado disso. — O poço que serve o banheiro do 702, de Oliver, e o do 701...

— Do japonês.

— Do doutor Ikisara...

E Cuervo suspirou outra vez.

— Borges y yo preferimos que o assassino seja Oliver Johnson — disse eu.

— Por quê?

— As possibilidades literárias são muito mais promissoras. A história pode começar no antigo Egito.

Mas Cuervo nem sorriu. Estava pensando no que seria pior, ter que acusar um americano, um conterrâneo ilustre que fatalmente usaria seu prestígio para escapar do processo, ou um japonês irritadiço cujo único motivo aparente para matar era o fato de ter sido derrubado duas vezes pela vítima num mesmo coquetel. Os testes de laboratório resolveriam parte do mistério. Mas fosse quem fosse o assassino, restava a pergunta de como ele tinha saído de um quarto trancado sem destrancá-lo.

A caminho da sua casa, Borges, contei a Cuervo o que tínhamos conversado na noite anterior. Ele contou que a polícia revistara todos os cinco quartos do sétimo andar, inclusive, minuciosamente, o quarto do morto e o 705, ocupado por um vendedor de Córdoba que não sabia de nada do que estava se passando, não conhecia Edgar Allan Poe e, para dizer a verdade, nenhuma outra estrela do rock. Nada tinha sido encontrado no quarto de Rotkopf, salvo as suas roupas, tendo chamado atenção a quantidade de meias de lã. Nenhum discurso, ou notas, ou papel escrito de qualquer espécie. A não ser que seus papéis tivessem sido roubados, Rotkopf pretendia falar de improviso na inauguração do congresso. Urquiza se recusara a abrir suas malas. Johnson abrira as suas sob protesto, mostrara o texto da palestra que faria sobre Lovecraft, Poe e o *Necronomicon*, com revelações ainda não publicadas, e os outros papéis que carregava. Nenhum parecia ter sido roubado do quarto de Rotkopf. Entre os papéis do professor Ikisara havia uma carta dos organizadores do congresso, em resposta ao que fora obviamente uma consulta desaforada do japonês, explicando por que a Israfel Society decidira realizar o encontro excepcionalmente em Buenos Aires. A resposta não convencera o professor Ikisara.

— Três punhais?!

Você estava radiante, Borges. Na nossa chegada, contou que havia tempo não se sentia tão bem. Sentia-se rejuvenescido e com vontade de escrever.

— Quem pode nos assegurar de que não serei eu o Orangotango Eterno de John Dee, hein Vogelstein? Viverei para sempre e escreverei tudo o que foi escrito no mundo. Já escrevi uma boa parte, mesmo.

Cuervo estava absorto demais nas suas dúvidas para peguntar quem era aquele novo orangotango na história. Você continuou:

— E um dia, juntarei, por acaso, as vogais e as consoantes fatais, e o mundo desaparecerá. Como para mim o mundo já desapareceu mesmo, não saberei a diferença. Continuarei ditando meus livros para sempre, dentro desta biblioteca, só estranhando a demora para trazerem o chá. Ou a eternidade do Orangotango hipotético acabará quando ele escrever o nome secreto de Deus? O que você acha, Vogelstein?

— Não sei — respondi. — Se a eternidade é infinita, nem o fim de tudo acabará com ela. Vejo o Orangotango sobrevivendo, sozinho, ao fim de tudo e de todos, inclusive de Deus. Será o último autor.

— E aí quero ver não lhe darem o Prêmio Nobel, hein Vogelstein?

— Impensável.

Foi então que Cuervo, impaciente com a nossa conversa, interrompeu-a com um relato das investigações até ali e a notícia dos três punhais. E você ficou maravilhado.

— Três punhais?!

Você lembrou que Palermo, onde fora criado, era um bairro violento, de boêmios e bandidos. E que no bairro tinham dois nomes para punhal, "El fierro" e "El vaivén". Os dois nomes descreviam o mesmo objeto, mas *el fierro* era a coisa, *el vaivén* a sua função. *El fierro* cabia na mão até de um garoto franzino enclausurado na biblioteca do pai, *el fierro* podia ser qualquer uma das adagas e espadas aposentadas do seu avô ou do seu bisavô guerreiros expostas nas paredes da sua casa, mas *el vaivén*, o punhal na mão indo e vindo, só existia na sua imaginação, num mundo fascinante de rápidos acertos de contas e duelos pela honra, por uma desfeita ou por uma mulher, em ruas escuras que você não freqüentava, que nenhum escritor freqüentava, a não ser na sua literatura.

— Sempre achei que uma experiência do mar era essencial para um grande escritor, e que por isso Conrad e Melville, e de certa forma Stevenson, que acabou seus dias nos mares do Sul, eram melhores do que todos nós, Vogelstein. No mar um escritor foge dos demônios menores, só enfrenta os demônios definitivos. Um personagem de Conrad diz que tem horror a portos porque nos portos os barcos apodrecem e os homens vão para o diabo. Ele queria dizer os diabos da domesticidade e da inconseqüência, os pequenos diabos da terra firme. Mas acho que uma experiência d'*el vaivén* daria a um escritor a mesma sensação de ir ao mar, de romper espetacularmente os limites da sua passividade e do seu distanciamento das primeiras questões do mundo.

— Você quer dizer que dando três boas estocadas em al-

guém um escritor pode alegar que está apenas queren-
do melhorar seu estilo?

— Algo assim. Acumulando experiência e atmosfera.

— Dizem que o pintor Turner se atava ao mastro de na-
vios e enfrentava tempestades em alto-mar para acertar
as cores e os detalhes dos seus torvelinhos.

— E deu certo. Mas nem você nem eu jamais conhece-
remos *el vaivén*, Vogelstein. Estamos condenados a *el
fierro*, ao punhal apenas como teoria. Pois mesmo se
usássemos *el vaivén* contra alguém, estaríamos do nosso próprio lado, assistindo, analisando a cena, e, portanto, irremediavelmente, com *el fierro* na mão. Eu acho
que não poderia matar ninguém, além dos meus personagens. E também não me sentiria bem no mar. No
mar não se pode ter bibliotecas. O mar substitui a biblioteca.

— O capitão Nemo, do Júlio Verne, tinha o mar e a biblioteca.

— Mas, que se saiba, nenhum talento literário.

— E então? — perguntou Cuervo.

— Então o quê? — disse você.

— Os três punhais. As batidas na porta de Rotkopf. O
quarto fechado. O que temos agora, afinal?

Além de tudo, Cuervo não parecia estar digerindo
bem seu almoço. Você apertou o seu lábio inferior, para
mostrar que estava pensando, ou talvez para esconder
de Cuervo o seu sorriso de prazer. Tínhamos, mesmo,
lhe restituído a saúde e o bom humor com o nosso lençol de sangue e os nossos enigmas, Jorge.

— Bueno... Rotkopf no mesmo andar com seus dois desafetos, três se contarmos o japonês que ele derrubou duas vezes. Três feridas no corpo do morto. Agora três punhais em dois poços... Se a natureza nos ensina alguma coisa, cavalheiros, é a desconfiar de simetria demais. Dois fios de cabelo formando um perfil do Buda ou do W.C.Fields num sabonete é um acaso, dois fios de cabelo formando uma cruz perfeitamente centrada é uma mensagem. Toda simetria excessiva é antinatural e tem uma deliberação humana por trás, ou sobrenatural, e tem um mistério por trás.

Você estava animado, Jorge. Na ponta da poltrona.

— O que nós temos, você pergunta? Temos um japonês mentiroso ou dois ocidentais mentirosos. Se o japonês disse a verdade, um dos ocidentais mentirosos é o culpado. Mas por que os dois ocidentais negaram ter batido na porta da vítima? Um, o culpado, para não se incriminar, claro. E o outro?

— Para não se incriminar também, mesmo sendo inocente — sugeri.

— Mas se o Urquiza sabia que Johnson tinha batido na porta de Rotkopf antes dele, não precisava mentir. Podia muito bem dizer que batera, sim, e que Rotkopf obviamente não atendera porque já tinha sido esfaqueado. Por Johnson.

— E se o japonês mentiu? — perguntou Cuervo.

Me adiantei com a resposta:

— Então o culpado é ele. Só ele bateu na porta de Rotkopf, matou-o e depois atirou a faca pela janela do banheiro do quarto. E inventou as batidas dos outros, para incriminar um deles.

— E as outras duas facas? — quis saber Cuervo.

— Sei lá — respondi, pouco cientificamente.

Você estava sacudindo a cabeça.

— Não. Nem o japonês mentiu, nem Urquiza mentiu. O único mentiroso dessa história é Oliver Johnson.

— Mas o japonês disse que ouviu Urquiza batendo na porta de Rotkopf e Urquiza negou!

— Porque Urquiza não estava batendo na porta de Rotkopf. Segundo o seu relato, Cuervo, o japonês apenas ouviu Urquiza batendo numa porta à meia-noite e gritando "Abra, é Urquiza". O que nos garante que era a porta de Rotkopf? Podia ser a porta de Johnson.

— Que não pôde abrir porque estava, naquele momento, no quarto de Rotkopf, aplicando-lhe três estocadas com *el vaivén*! — gritei.

— Ou tentando convencer Rotkopf a não desmoralizá-lo no dia seguinte — prosseguiu você —, sem sucesso. Rotkopf deve ter respondido com o seu irritante versinho, "Israfel, Israfel, does it ring a bell?", e Johnson não conseguiu se controlar. Ninguém conseguiria.

A expressão de Cuervo era de sofrimento.

— E o que Urquiza queria com Johnson? — perguntou.

— Provavelmente dissuadi-lo de apresentar seu trabalho sobre o *Necronomicon* e, se não conseguisse isso, matá-lo também.

Completei a sua tese, Jorge, em forma literária.

— Johnson está no quarto de Rotkopf quando ele me telefona, às três da manhã. Estavam discutindo desde as onze e meia. Johnson revista o quarto, atrás do discurso de Rotkopf, enquanto ele agoniza no seu lençol de sangue. Johnson nota, tarde demais, que Rotkopf ainda está vivo, conseguiu chegar ao telefone e discou para alguém. Sai às pressas do quarto, talvez depois de dar uma terceira estocada em Rotkopf, e vai para o seu quarto, fechando a porta segundos antes de eu descer do elevador. Limpa a faca assassina e a joga pela janela do banheiro.

— Antes disso — continuou você, colega — Urquiza desistiu de bater na porta de Johnson e voltou para o seu quarto. No dia seguinte, quando fica sabendo do assassinato de Rotkopf, decide, por via das dúvidas, jogar o seu punhal fora pela janela do banheiro.

— Muito bem — disse Cuervo, apertando as têmporas. — Explicamos dois punhais. E o terceiro?

Fizemos silêncio em uníssono, Jorge y yo.

— E como Johnson saiu do quarto sem destrancar a porta? — insistiu Cuervo.

Continuamos em silêncio. Até você, tentando dissimular a ironia em respeito ao martírio de Cuervo, dizer:

— Bueno, faltam alguns detalhes...

Perguntei o que você queria dizer com simetria demais. Você revelou que também tinha novidades. Aproveitara sua insônia da noite anterior para buscar no fundo da memória tudo o que sabia sobre o *Necronomicon*, e sua pesquisa sobre John Dee. Lembrara-se de que o poder das entidades mágicas, dos nomes mortos, era dividido entre os quadrantes da Terra, e que as entidades mais poderosas eram Azathoth e Yog-Sothoth, do quadrante Sul, o rei e o príncipe do caos, os únicos que podiam conjurar Hastur, o que caminhava no vento, o destruidor. Você sabia vagamente que alguma coisa ligava Hastur ao nosso caso e finalmente, no fim da noite, se recordara: no sumário da tradução do *Necronomicon* atribuída por Lovecraft a John Dee, o capítulo que tratava de Hastur era o de número dez. O X que Rotkopf formara no espelho. A carta 10 que acompanhava o príncipe e o rei do baralho. E certamente nos lembrávamos da súbita ventania na noite do crime.

Se a sua intenção era irritar Cuervo ainda mais, você tinha conseguido. Ele agora estava de pé.

— Quer dizer que o assassino não é mais Johnson, é Hastur, um espírito maligno?

— Desse modo pelo menos resolvemos a questão do quarto fechado. Espíritos atravessam paredes — provoquei.

— Ou quem sabe Johnson incorporou Hastur, já que supostamente decifrara todas as encantações do *Necronomicon*? — acrescentou você.

— Vamos ser sérios? — pediu Cuervo.

— Você não acha sério que pela primeira vez na sua história a Sociedade Israfel tenha decidido fazer seu congresso no Sul, e Rotkopf, Urquiza e Johnson acabem no mesmo andar do mesmo hotel? Talvez estivessem lá, sob a jurisdição de Azathoth e Yog-Sothoth, o rei e o príncipe do caos, para se liquidarem mutuamente. Inclusive o japonês, que desconfiara das intenções da direção da Sociedade Israfel. Sobre a qual, aliás, não se sabe quase nada.

— Só tem uma coisa... — disse eu, sem jeito.

— O quê?

— Não era um X.

— O que não era um X?

— Que o corpo de Rotkopf formava no espelho. Era um W.

Cuervo não aceitou minhas desculpas. Todo aquele tempo perdido por uma lembrança errada! Mas vi que você estava apertando seu lábio inferior e que seu pensamento já enveredara por outro caminho. Você disse:

— Um W... Interessante. O símbolo do duplo, da dualidade, de gêmeos, do *doppelgänger*. Poe tem uma história chamada "William Wilson", sobre um homem destruído pelo seu duplo, pela sua imagem no espelho, que é o seu ser moral. Eu sempre tive um certo pânico de espelhos...

— Eu sei.

— O que Rotkopf quis nos dizer com W? Não é o nome de nenhum possível suspeito. A não ser que... O primeiro nome do japonês é Watanabe?

— Não — disse Cuervo. — É Miro.

— E se Rotkopf quisesse nos dizer que foi atacado pelo seu reflexo no espelho? — perguntou você. — Pelo seu ser moral? A julgar pelo que se sabe do caráter de Rotkopf, o seu contrário deve ser um exemplo de consideração pelos outros, um monstro de retitude. Está aí, o assassino seria a consciência do alemão, que não pôde mais conter sua revolta com o que era obrigado a refletir e pulou do espelho. No conto do Poe, o ser moral agüenta tudo até não poder mais, até William Wilson cometer uma indignidade imperdoável. O que teria provocado o duplo de Rotkopf a finalmente matá-lo?

— Pensando bem, não vi a bengala de Rotkopf junto ao corpo. O seu reflexo deve tê-la levado, quando fugiu do hotel pela janela fechada do quarto.

— Há uma questão técnica. Se o reflexo de Rotkopf o matou e fugiu, o corpo de Rotkopf não poderia estar refletido no espelho. Seria apenas um V contra um espelho vazio.

— E onde o reflexo no espelho conseguiu o reflexo de um punhal para usar?

Cuervo desistiu. Tinha mais o que fazer do que ficar ali ouvindo aquilo. Precisava continuar as investigações do crime, com ciência em vez de fantasias, e não podia mais contar com a nossa ajuda, pois era evidente que estávamos delirando. Antes de sair, anunciou que obrigaria a direção da Sociedade Israfel a aparecer e se manifestar. Entre outras coisas, para ajudar a decidir o que fariam com o corpo de Rotkopf, que não tinha nenhuma família conhecida, no México ou na Alemanha.

Depois que Cuervo se foi, ficamos em silêncio ouvindo o zunido da estufa. Fazia-nos falta a platéia. Depois de alguns minutos, você contou:

— Dizem que existe um duplo meu solto em Buenos Aires. É um dos mitos que inventaram a meu respeito. Na última vez em que pude me ver com clareza num espelho, a minha imagem teria fugido, para se preservar do meu declínio. Amigos contam que às vezes avistam o meu duplo na rua, e que ele teria uma visão privilegiada, enxergaria as rachaduras da Lua sem telescópio, mas que padeceria de falta de imaginação. Deve ser uma espécie de compensação padrão a que escritores têm direito, a imaginação em vez da visão. Lembre-se de Joyce.

— E de Homero.

— E de Akhnaton.

— Akhnaton era cego?

— Acabou a vida cego. Dizem que se automutilou, no fim de uma história de incesto e culpa, como Édipo. Parece que os egípcios tinham o hábito de ser gregos antes do tempo, especialmente os faraós.

— Mas Akhnaton não era escritor.

— Foi ele que imaginou o monoteísmo e inventou Deus. Podia não ser escritor, mas tinha o dom de criar bons personagens. Já o meu duplo, dizem, não só não tem nenhuma atividade literária como já foi visto investindo contra livrarias e vandalizando bibliotecas. Odeia livros, que chama de inimigos da vida.

Também não contei que conhecera Borges Luis Jorge, o seu contrário, para não voltar às circunstâncias do nosso encontro. Em vez disso contei a terceira história que lhe mandara, e que você ignorara como as outras duas. Um conto baseado justamente na minha ida a Buenos Aires para procurá-lo. Um homem viaja a uma cidade do

Sul à procura de um mestre escritor e encontra uma cidade mágica, feita só dos lugares que o escritor descreveu — a casa em que ele nasceu, as casas em que morou, o liceu em que estudou, os bares e as livrarias que freqüentou etc. O resto da cidade não existe, são espaços vazios entre os lugares que o visitante reconhece da ficção e das lembraças do mestre escritor. Só há dois cachorros e um bonde na cidade: os cachorros que o mestre escritor recordava da sua infância e o único bonde descrito em toda a sua obra. Mas não há ninguém nas ruas da cidade. Quando finalmente encontra alguém — um mendigo-poeta que o visitante identifica como o personagem de uma parábola do mestre escritor —, este lhe diz, em verso, que toda a população da cidade está na única igreja do lugar, a igreja em que o mestre escritor foi batizado. E lá estão todos os personagens do mestre escritor e mais seu pai e sua mãe, avós e bisavós, colegas do liceu, namoradas e amigos citados em seus livros, todos velando o mestre escritor morto. E, enquanto o velam, vão desaparecendo um a um, até que sobram em volta do caixão no meio do nada — pois a própria igreja e a cidade também desapareceram — apenas três ou quatro. E um crítico literário, venenosamente retratado num personagem mal disfarçado pelo mestre escritor, que olha em volta e depois comenta para o visitante: "Eu sempre disse que ficaria pouca coisa da obra dele...", antes de desaparecer também.

Mais uma vez, você não deu nenhum sinal de ter reconhecido o conto. Quando eu terminei de narrá-lo, você ficou apertando o lábio inferior, pensando. Depois disse:

— O W não nos serve. O W decididamente não nos serve, meu caro Vogelstein.

Comecei a me despedir, mas você me pediu para ficar. Talvez tivéssemos sorte e algum livro voasse de uma prateleira e caísse aos nossos pés, aberto nas páginas que resolveriam tudo. E pelo resto daquela tarde conversamos sobre autores ingleses do século xix e quais deles seria possível imaginar cometendo um crime de morte sem a danação da autoconsciência, transformando um *fierro* num *vaivén*. Também falamos da simetria na sua obra, lembra? De como você publicou sua primeira história policial, "O jardim dos caminhos que se bifurcam", exatamente cem anos depois de Poe ter publicado a sua primeira história, e outras coincidências induzidas. E tomamos chá.

Terceiro dia. Dessa vez o telefonema que me acorda é de Cuervo. Ele tem o resultado do laboratório. A ciência está funcionando. Microscópicos traços de sangue comprovam: só um dos punhais foi usado no crime. Um dos dois encontrados no poço para o qual davam as janelas dos banheiros do 701 e do 702. O sangue no punhal é o de Rotkopf, não há dúvidas. O culpado por sua morte é Johnson ou o japonês. Urquiza é inocente. Não há impressões digitais em nenhum dos punhais. A procedência dos três será agora investigada. Pergunto se ele descobriu mais alguma coisa sobre a Sociedade Israfel. Cuervo conta que está lutando para convencer Urquiza, representante da sociedade na Argentina, a ajudá-lo. Urquiza anunciou que voltará para Mendoza assim que despachar o corpo de Rotkopf para onde quer que seja, e que pretende esquecer o caso, inclusive a ignomínia de ter sido incluído entre os suspeitos. Cuervo talvez tenha que mobilizar o ministro da Justiça para reter Urquiza em Buenos Aires e forçá-lo a cooperar.

E eu, quer saber Cuervo. Posso ficar mais algum tempo em Buenos Aires para ajudar nas investigações? Hesito. Na noite anterior Angela veio de novo ao meu quarto. Depois de fazermos amor ela me aconselhou a voltar para casa. Cuidaria da minha passagem, cuidaria de tudo. Eu não precisava mais ficar em Buenos Aires. Já fizera a minha parte. Deveria me afastar daquela história sangrenta e procurar esquecer tudo o que tinha acontecido. Concordo com ela, mas penso em você, Jorge. Penso nas nossas tardes. Quando terei outra oportunidade como esta para conversar com você? O hotel está reservado para mim por mais quatro dias. Nada me chama de volta a Porto Alegre e ao Bonfim antes de uma semana. Nem um gato. Digo a Cuervo que preciso pensar. Quero ser útil, mas não posso fazer mais do que já fiz. E a minha memória, afinal, não é uma informante confiável ou muito precisa, como Cuervo já descobriu. Não conto a ele que na noite anterior, nos braços de Angela, sobre a cruz pontilhada do seu corpo, fiz outra reconstituição mental da minha entrada no quarto de Rotkopf depois do crime e me dei conta de que tinha errado de novo. Não vira um V com uma ponta tocando o espelho e o vértice virado para a porta, formando um W no espelho. Vira o V com uma ponta tocando o espelho e o vão aberto na direção da porta. Formando um M no espelho.

Quando me levanto para destrancar a porta para o garçom que traz o café, noto que Angela levou a minha passagem quando saiu naquela manhã, sem me acordar.

Almocei sozinho perto do hotel. Na saída, comecei a caminhar pela calçada da Suipacha tentando decidir o que fazer. Voltar logo a Porto Alegre ou não voltar? Um carro preto encostou no meio-fio. Cuervo, me convocando para irmos a sua casa, Jorge. Tinha novidades.

Você não parecia tão animado no terceiro dia, Jorge. A índia nos avisara na porta, "o doutor está cansado". Não deveríamos ficar muito tempo. Cuervo contou que finalmente, com a ameaça de apelar oficialmente ao Ministério da Justiça, conseguira que Urquiza lhe falasse sobre a Israfel Society. Tudo o que sabíamos era que a sociedade existia desde 1937, promovia estudos da obra de Edgar Allan Poe, organizava os congressos e publicava boletins e, mensalmente, a revista *O Escaravelho Dourado*. Cuervo já tinha participado de dois congressos, ambos em Baltimore. Segundo Urquiza, a sede da sociedade era em Boston, onde Poe nascera, e a redação da revista em Baltimore, onde Poe morrera. A sociedade fora fundada por um checo chamado Partas, que emigrara para os Estados Unidos no começo dos anos 30 e fizera fortuna e que ainda era o principal financiador e orientador das suas atividades, embora nunca aparecesse em nenhum evento ou solenidade. Urquiza ia a todos os congressos e era uma espécie de representante honorário da sociedade na Argentina. Naquela manhã mesmo recebera um telefonema de Boston instruindo-o a mandar o corpo de Rotkopf para Cuernavaca assim que ele fosse liberado pelas autoridades argentinas, para ser enterrado num lugar que o alemão já escolhera. Longe, pensei eu, de toda e qualquer sombra.

— Urquiza não disse por que o congresso deste ano foi em Buenos Aires? — perguntou você.

— Disse que foi uma solicitação dele, Urquiza. O que é difícil de acreditar.

— Por quê?

— Porque a explicação para a transferência que a diretoria da Sociedade Israfel deu ao japonês, por carta, é outra — disse Cuervo. — E Urquiza não se envolveu na organização do congresso. Veio de Mendoza no dia da inauguração.

— Angela me contou que as recepcionistas foram contratadas por uma equipe americana que chegou a Buenos Aires há duas semanas, vinda de Baltimore, para organizar tudo — disse eu.

— E já foi embora — informou Cuervo. — Não tem mais nenhum dos organizadores aqui. Pelo menos eu não encontrei ninguém. As contas foram pagas, tudo foi acertado, mas a Sociedade Israfel sumiu. As recepcionistas ficaram encarregadas de tratar da volta prematura dos congressistas e de prestar contas depois, mas elas também não sabem de mais nada.

— Quem colocou Urquiza, Johnson e Rotkopf no mesmo andar do mesmo hotel? — perguntou você.

— A distribuição dos quartos veio pronta.

— Salvo algumas adaptações de última hora — intervim. — Como no meu caso.

— No seu caso?

— Meu hotel era para ser outro. Angela me transferiu para o da rua Suipacha porque era mais central.

— Você, então, se envolveu nessa história por azar...

Ou por sorte, pensei. Se não tivesse me envolvido dessa forma na história não teria conhecido você, e provavelmente não teria dormido com Angela, os dois acontecimentos mais memoráveis da minha vida até agora, já que não tenho nenhuma memória da viagem de navio da Alemanha para o Brasil.

Ficamos, Cuervo e eu, olhando para você. Como se tivéssemos introduzido as moedas certas na máquina e agora esperássemos nossa barra de chocolate. Você estava de cabeça baixa. Quando falou, foi com voz mais fraca e aveludada do que de costume.

— Partas, da Checoslováquia. Partas de Praga. Partas da antiga Boêmia. Partas, Partas, Partas... Sabem o que eu acho?

Não sabíamos. Estávamos loucos para saber.

— Acho que deu tudo errado. Era para funcionar como um relógio suíço, ou checo, no caso, mas não se traz impunemente um delicado mecanismo do Norte esperando que ele funcione no Sul. Aqui a Lua cresce e míngua ao contrário, e desorienta até americanos. Se esta história fosse minha...

E você contou como seria a história, se você a tivesse escrito. Era para Urquiza matar Johnson. Era para Urquiza invocar as poderosas entidades do Sul, Azathoth e Yog-Sothoth, e incorporar Hastur, o que caminha no vento, o destruidor, para impedir que Johnson revelasse ainda mais do que já tinha revelado, inocentemente, da linguagem do *Necronomicon*. Do código secreto escondido na literatura de Poe. Tudo estava armado para isso. O congresso transferido para Buenos Aires traria Johnson ao Sul, onde Urquiza invocaria os poderes de Azathoth e Yog-Sothoth e a destreza letal de Hastur com *el vaivén* para eliminá-lo sem deixar traços... Mas Partas, ou quem quer que tivesse construído a armadilha para Johnson, não contara com a vaidade intelectual. Com uma força mais destrutiva do que todas as outras, conhecidas ou ocultas. Com a força mais terrível do Universo. O amor-próprio. Nossa paixão arrasadora por nós mesmos. Cansado dos insultos do alemão, horrorizado com a perspectiva de ser ridicularizado em público, Johnson bate na porta de Rotkopf. E o mata.

— Rotkopf, então, também entrou na história por azar... — comentei.

— E o seu assassinato desestruturou a armadilha e estragou todos os planos. Johnson estava matando Rotkopf quando devia estar no seu quarto, esperando o punhal de Urquiza. Que bateu, bateu na sua porta e depois desistiu. Com a descoberta do corpo de Rotkopf, claro, tudo desandou. Urquiza jogou fora o seu punhal e vai voltar para Mendoza, os organizadores do congresso debandaram e Johnson, protegido pela embaixada americana, negará que o punhal com sangue seja dele, dirá que não há qualquer prova de que matou Rotkopf e voará para casa sem ser desmoralizado. Se o seu avião cair antes de atravessar a linha do Equador, saberemos que Azathoth e Yog-Sothoth, as entidades do Sul, além de poderosos, são vingativos.

Havia muito, Cuervo se contorcia na poltrona.

— Chê, Jorge! — disse finalmente — Gozatoth, Soga-Tog... Você não acredita nisso!

— Não confunda o autor com os personagens — respondeu você. — Eu não acredito em nada. O importante é que eles acreditam.

— A Sociedade Israfel é uma organização assassina, regida por espíritos malignos?

— A Sociedade Israfel provavelmente nunca assassinou ninguém. Tanto que falhou nesta primeira tentativa. Desconfio que é uma de muitas organizações com representantes em todo o mundo que vivem em alerta contra a descoberta acidental de códigos gnósticos por quem não os entende, ou para manifestações de novas mensagens secretas na obra de autores que, muitas vezes, não se dão conta do que estão transmitindo quando escrevem para recordar o que nunca viveram. Todas fazem parte de uma espécie de sistema de alarme criado, se não me engano, há exatamente quatrocentos anos, numa convenção de correntes gnósticas reunida em Praga, na biblioteca do rei da Boêmia, provavelmente por um homem chamado John Dee. E que poderia se chamar "Operação Orangotango Eterno".

— Chê, Jorge!

— Não vamos esquecer que a Sociedade Israfel foi criada no ano da morte de Lovecraft. Sua missão deve ser controlar os textos de seguidores e estudiosos de Poe para que nenhum imite Lovecraft e tropece numa revelação explosiva como a do *Necronomicon*. Há sempre o risco de algum Johnson interpretar Poe não sagazmente, mas bem demais, e precisar ser eliminado. Que melhor maneira de fiscalizar os que estudam Poe e competem entre si sobre maneiras inéditas de interpretá-lo do que organizar congressos para eles discutirem suas teses e fornecer espaço para publicá-las?

— Não vamos esquecer — disse Cuervo, agora de pé e indignado — que Xavier Urquiza é um católico conservador e praticante que jamais se aliaria a um Gogagot ou

Gogathot ou qualquer outro demônio oculto, mesmo um demônio natural da Patagônia.

Sua voz estava ainda mais fraca, Jorge. Cuervo precisou se curvar, como uma garça indo buscar um peixe, para ouvi-lo.

— Da tal reunião de cúpula, por assim dizer, na biblioteca do rei Rodolfo II, em 1585, participou uma linha ocultista do cristianismo, a "Apocryfa", cujo texto mais importante era o Segundo Livro, banido da Bíblia, de Esdras, que por sua vez também era um dos textos básicos da Cabala. Pico della Mirandola, que queria a aproximação da Igreja da Renascença com a Cabala para combater o secularismo, chegara a alegar que o texto provava que na sua forma mais primitiva o judaísmo era Trinitário e previa o advento de Cristo. A Cabala, pelo que se sabe, retirou-se do congresso negro promovido por Rodolfo II, mas John Dee conseguiu manter a aliança entre a Igreja filocabalista da "Apocryfa" e a corrente do *Necronomicon*, cujas origens prováveis são o hermetismo egípcio, anterior, até, a Akhnaton. A Sociedade Israfel é cristã. Seus congressos, sempre em Estocolmo, Baltimore e Praga, Norte, Oeste e Leste, equivalem a um sinal-da-cruz, ao triângulo sagrado. Urquiza talvez seja um cristão mais conservador do que se pensa e pertença à antiga tradição ocultista da Igreja, aquela que nunca saiu dos subterrâneos. E que aceita a colaboração de qualquer entidade do acordo negro de Praga, para proteger seus códigos e seus poderes secretos.

Cuervo agora olhava para o teto, como que pedindo socorro.

— Muito bem. Johnson matou Rotkopf e jogou fora a faca. Urquiza desistiu de matar Johnson e jogou fora a faca. E a terceira faca?

— Do japonês. Que provavelmente também pretendia matar Rotkopf e comprara um punhal a caminho do hotel. E que jogou o punhal fora depois de saber que alguém tinha feito o trabalho por ele.

— Como Johnson saiu do quarto trancado, depois de matar Rotkopf?

Você apenas abriu os braços, como que se oferecendo para ser revistado. Cuervo continuou:

— E as mensagens deixadas por Rotkopf? E as cartas? E o corpo contra o espelho, formando um W?

— Um M — disse eu.

Você e Cuervo juntos:

— O quê?

Eu:

— Pensei melhor. Duas noites de sono ajudaram minha memória. Não era um W. Era um M.

Cuervo deixou-se cair na poltrona sem uma palavra. Você estava sorrindo. Você disse:

— Um M...

— Tenho quase certeza.

— Quando é que você vai ter certeza completa, Vogelstein? — gritou Cuervo, irritado.

Mas você fez *sshh* para Cuervo. Você já tomara outro caminho. Estava pensando.

— M de Miro — sugeri. — O culpado é o japonês...

A sugestão não teve adeptos. Cuervo definitivamente não acreditava mais na minha memória. Você estava, de novo, apertando o lábio inferior. Concluir pela culpa do japonês era um anticlímax inaceitável.

— Temos que combinar as duas pistas — disse você, finalmente. — Uma não tem sentido sem a outra. O que as cartas mostram?

— As cartas não mostram nada — disse Cuervo.

— Exatamente. E o que as cartas não mostram?

— Como, não mostram?

— O que falta na seqüência 10 de paus, valete de espadas e rei de copas?

— A dama de ouros — disse eu.

— Certo. A dama.

— O M é de "mulher"?! — perguntou Cuervo.

— Ou de "mãe". Ou de Maria. Não esqueça que é uma dama de ouro.

Você continuou:

— No congresso de Praga, os cristãos da "Apocryfa" e os judeus da Cabala não se entenderam porque os judeus não aceitavam a interpretação cristã do Segundo Livro de Esdras, a de que o judaísmo primitivo preconizava Jesus e a Trindade, o que facilitava a aproximação da Igreja com a Cabala. Na briga, os dois lados tinham se acusado de traição. Os cristãos acusavam os judeus de terem traído Jesus, e os judeus acusavam os cristãos de terem traído a própria mãe, ou seja, o judaísmo, do qual tinham nascido. Uma briga que já tinha mil e quinhentos anos e que continua até hoje, em segredo, entre a Cabala e a gnose cristã.

— O cristianismo pertence à história das superstições judaicas — disse eu, citando, mais ou menos, você. Ou um personagem seu.

Mas você não estava me ouvindo.

— Temos um novo assassino? — perguntou Cuervo. — Quem sabe a mãe de Rotkopf? Incorporando Hastur?

Você também não deu atenção a Cuervo. Ficou em silêncio por um longo tempo, enquanto Cuervo fazia um sapateado impaciente no parquê sem se levantar da poltrona. Depois você disse, na minha direção, no que pareceu ser uma divagação a propósito de nada:

— Minha mãe devia ter sangue judeu. O sobrenome dela era Acevedo. Talvez judeu português.

— Eu sei.

Mais um longo silêncio, só quebrado pelo som da coreografia estática do nosso Cuervo. Depois:

— Estocolmo, Baltimore, Praga. O Pai, o Filho e o Espírito Santo. O Norte, o Oeste, o Leste. O sinal-da-cruz, o triângulo sagrado. O que falta no triângulo? Alguns dizem que falta a Mãe, a grande esquecida na Trindade. Outros dizem que o Diabo. De toda maneira, falta o Sul.

— Rotkopf queria nos dizer alguma coisa sobre a razão de o congresso ser no Sul... — arrisquei.

— Ele estaria confiando demais no nosso poder de solucionar criptogramas se esperasse que fizéssemos a ligação instantânea entre M de mãe e o que falta no triângulo. Mas as cartas completavam a mensagem. A dama. A mulher. A mãe. Ou o Diabo. Para o profeta Esdras, a mulher e o Diabo eram a mesma coisa. Segundo o seu livro proibido, os monstros que povoavam a Terra eram filhos concebidos durante o período menstrual da mulher. Eram frutos da maldição feminina.

— De qualquer maneira, temos uma ponta Sul. O triângulo vira losango.

— Muito bem — disse Cuervo. — Rotkopf fez um sinal de mulher no espelho, confirmado pela carta que falta. A mulher e/ou o Diabo num ponto do Sul. Significando exatamente o quê?

— Vogelstein — disse você —, o que Rotkopf lhe contou sobre a peça que pregou em Johnson, inventando um significado oculto para o poema "Israfel"?

— Disse que existem duas versões do poema, a segunda mais curta do que a primeira, com algumas linhas cortadas. As linhas cortadas da primeira versão colocadas em seqüência, quando postas contra um espelho, revelariam uma mensagem apocalíptica em hebraico, uma vez retiradas as vogais. Foi essa descoberta apócrifa que Rotkopf mandou para Johnson, assinada com um nome falso, sabendo que Johnson a engoliria. Era o que ele pretendia usar para desmoralizar Johnson na sua palestra.

Cuervo ficou esperando que você fizesse algo da informação e, diante do seu silêncio, perguntou:

— E então?

— Então nada.

Tínhamos chegado ao fim de todos os caminhos. Continuávamos com um quarto trancado, um morto críptico, três punhais, nenhuma solução, e agora um Borges desanimado, um codecifrador de universos visivelmente cansado.

— No fim — disse você —, a única coisa sólida que nós temos é aquela súbita ventania na noite do crime.

— Hastur — disse eu.

— Hastur.

Cuervo pôs-se de pé num pulo e declarou:

— É claramente o culpado. Vou mandar prendê-lo.

Depois me deu uma ordem:

— Vamo-nos. Borges precisa descansar.

— Breve poderei descansar bastante — disse você. — Não tenho nada programado para depois da morte.

— Talvez tenhamos sorte e esta noite o nosso Vogelstein finalmente se lembre de que Rotkopf, de alguma maneira, formou um S com o seu reflexo no espelho significando "Suicidei-me".

— Prometo que vou me esforçar — disse eu.

— Escribe, y recordarás — disse você.

— Farei isso, Jorge.

— A palavra escrita, Vogelstein. Tudo, para existir, tem que virar palavra. Seja complexo ou simples. Pense no Universo.

— Pense no "Escaravelho Dourado". Pense no quarto fechado de Zangwill — disse eu.

Você sorriu, e repetiu:

— Escribe, y recordarás.

Depois você sugeriu que eu voltasse na tarde seguinte.

Talvez encontrássemos todas as respostas que queríamos puxando livros das prateleiras a esmo e escolhendo palavras cegamente. Você as escolheria cegamente, eu as leria. Tudo, afinal, era mensagem. Pouca gente sabia, disse você, que todas as suas histórias tinham nascido, de uma ou de outra maneira, da décima primeira edição da *Enciclopédia Britânica*, que já estava na biblioteca do seu pai, na biblioteca imaginária do rei da Boêmia, desde que você era garoto. Prometi que voltaria. Nos despedimos com um aperto de mãos. Eu apertando a mão de carne e osso de Jorge Luis Borges!

Antes de sairmos, você perguntou a Cuervo:

— Qual foi a explicação da mudança do congresso para Buenos Aires que eles deram ao japonês?

— Disseram que era para homenagear você, Borges.

— Talvez o verdadeiro alvo de toda essa complicada conspiração que a Israfel Society montou no Sul, e que o assassinato de Rotkopf estragou, fosse eu. Depois de Poe e de Lovecraft, ninguém mais fez literatura com tantos sentidos aparentemente ocultos, tão apetitosa para intérpretes alucinados, quanto eu. Devem ter sabido que, em vez de parar ou morrer de uma vez como um homem sensato, eu ia começar um tratado sobre espelhos. Um assunto perigosíssimo, hein Vogelstein?

— Adeus, Jorge — disse eu.

Estou de volta em Porto Alegre há uma semana e só agora posso dizer que me lembrei com certeza, com toda a certeza. Finalmente me lembrei completamente, como pediu o Cuervo. Escrevi para recordar e, como você viu, ou como viram para você, fiz um livro do que recordei — com epígrafe e tudo! Um livro dos nossos encontros, para você recordar também, Jorge.

Como você sabe, quando Cuervo me deixou no hotel naquela tarde encontrei Angela com tudo pronto para a minha viagem, inclusive a mala arrumada. Não tive escolha. Tínhamos pouco tempo para pegar o avião e desembarcamos correndo no aeroporto. Você gostará de saber que, na corrida, derrubei o japonês, que também estava embarcando. Não pude nem ajudá-lo a se levantar, deixei-o esbravejando no chão. Acho que foi o seu último congresso.

Você sabia quem eu era, não sabia Jorge? Desde a apresentação. Lembrava-se da minha arrogante intervenção cirúrgica no seu conto na Mistério Magazine, *da minha cola imperdoável, das minhas cartas, dos meus contos. Pois vou lhe dar a oportunidade da retribuição. Quero que você termine este livro por mim. Sinta-se à vontade para acrescentar o rabo que quiser, não tocarei em uma linha. Traduzirei para o português mas não mudarei nada, juro. O último capítulo — o desenlace, a conclusão, o resultado final das nossas "árduas álgebras" (se posso, mais uma vez citá-lo) à procura de uma solução — é todo seu. Esta é a minha forma de me redimir.*

Minha lembrança definitiva da cena do crime é a seguinte:
o corpo na forma de um V de Rotkopf estava com as mãos e
os pés encostados no espelho, formando um losango com o
seu reflexo. O triângulo sagrado com um ponto a mais ao
Sul, o ponto que falta na Trindade. A Mulher ou o Diabo?

As cartas estavam como eu as descrevi na primeira vez. O 10
(ou o X?) junto com o valete, um espaço e o rei.

O valete tinha os olhos furados.

A palavra escrita agora é sua, Jorge.

La cola

Meu caro V.

Obrigado pelo privilégio, que só posso atribuir ao excesso de deferência que inspiram os ídolos ou os velhos. É muito raro, nas tortuosas relações entre o autor e suas criaturas, um personagem receber a incumbência de escolher o fim da história. Mas desconfio que a única conclusão possível é a que você determinou desde o começo: nunca escapamos do autor, por mais generoso ou penitente que ele pareça.

Estranhei as suas repetidas e pouco sutis referências ao conto "O Escaravelho Dourado" durante toda a narrativa. Ele não me parecia ter qualquer relevância para a história. Na cena final, a da despedida de "Vogelstein" e "Borges" ao lado daquela improvável estufa elétrica, você erra mais uma vez, deliberadamente, ao citar meus dois exemplos de mistérios simples. Substitui "A carta roubada" por "O Escaravelho Dourado", mas mantém o quarto fechado de Zangwill como o outro exemplo.

Comecei a pensar no que poderia haver de pertinente na história de Poe sobre a descoberta de um escaravelho de ouro e o pergaminho usado para embrulhá-lo, e me lembrei de que nela Poe, que já inventara a história de detetive e a paródia da história de detetive e a anti-história de detetive, estava inventando uma das convenções mais controvertidas da história de detetive, que é o narrador inconfiável. Embora o escaravelho de ouro dê nome ao conto e pareça ser o centro da trama, é, na verdade, um detalhe sem importância. O pergaminho é o que interessa, pois nele está a mensagem cifrada que leva ao tesouro. O narrador ilude o leitor, que só

fica sabendo o que ele sabe no fim. Invocando "O Escarave-
lho Dourado" você estava me dizendo que a solução para o
caso do alemão assassinado num quarto fechado não se
encontrava nas pistas deixadas na cena do crime ou mesmo
no crime, e sim no seu relato. O fato era o escaravelho dou-
rado da sua história, meu caro narrador inconfiável, e a
sua narrativa o pergaminho, onde está a explicação de
tudo.

"Vogelstein" começa a narrativa se declarando inocente, o
que é sempre suspeito. Diz que foi convocado pelo destino
como instrumento de uma conspiração com desígnios in-
sondáveis e que o seu papel na trama seria neutro como o
dos espelhos. Mas só há duas coisas em seu relato, até esse
ponto, em que se pode acreditar. Uma é que geografia é des-
tino. Outra é que o seu gato morreu. Se houve uma conspira-
ção ou não no caso, não sabemos, mas os seus desígnios
pessoais estavam bem definidos desde o dia em que sua tia
Raquel viu uma fotografia de Joachim Rotkopf nas páginas
da revista da Sociedade Israfel ou na última capa de um dos
seus livros e quase teve um desmaio. Era ele, o monstro! O
homem pelo qual a sua mãe se apaixonara e em quem con-
fiara, ficando na Alemanha nazista em vez de fugir com as
irmãs e com o filho pequeno para a América do Sul e a sal-
vação.

Não sei se "Vogelstein" ficou sabendo então que o monstro
era o seu pai, ou se foi nesse dia terrível que sua tia Raquel
lhe contou tudo. Joachim Rotkopf, ou como quer que ele se
chamasse na época, exigira que a mais jovem das irmãs Vo-

gelstein se livrasse do filho para ficar com ele em Berlim, onde era bem relacionado no novo regime e cuidaria para que nada lhe acontecesse. Miriam, a bela Miriam da fotografia na Unter den Linden tirada num dia de verão, preferira o amante ao filho. Você teve o cuidado de incluir o detalhe da manta de lã usada pelo amante de Miriam na fotografia, em pleno verão, e depois sublinhar que Joachim Rotkopf sentia muito frio, e mantinha um fogo aceso na lareira da sua casa durante o verão mexicano. Dizem que uma das características dos demônios é sentir sempre muito frio.

Foi depois de saber quem era Joachim Rotkopf que "Vogelstein" começou a se corresponder com ele sob um pseudônimo, usando como pretexto o interesse dos dois por Poe. Queria descobrir como fora a sua vida, o que ele fizera durante a guerra, como acabara no México com um nome falso escrevendo ensaios literários. Talvez um dia ele começasse a fazer confidências e lhe contasse tudo sobre a sua mãe e sobre como a traíra. Talvez "Vogelstein" já pensasse vagamente em vingança. Mas como? Como chegar até Rotkopf sem dinheiro, sem poder viajar porque sua tia e seu gato ficariam desamparados?

E então um dia vem a notícia do congresso da Sociedade Israfel em Buenos Aires, a menos de mil quilômetros de Porto Alegre, com a participação anunciada de Joachim Rotkopf. "Vogelstein" não precisa chegar até Rotkopf. O demônio vem até ele! Geografia é destino.

E então "Vogelstein" descobre que o Deus das coincidências

está do seu lado. Morre o seu gato *Alef* (obrigado). Cuidando da tia Raquel, "Vogelstein" aprendeu tudo sobre a dosagem correta de calmantes, como você fez questão de escrever. Ainda não sabe bem como usará essa ciência; saberá quando se aproximar de Rotkopf. Compra um punhal em Porto Alegre. Ou em Buenos Aires? Já que cabe a mim terminar a história, prefiro que Cuervo descubra que dois dos três punhais, o que tem traços de sangue e o outro do mesmo poço, o de Johnson, não foram fabricados na Argentina. (Cuervo seguirá confiando nos seus métodos científicos mesmo quando não houver mais possibilidade de solucionar o caso, ou pelo menos de acusar alguém.)

Ao chegar a Buenos Aires, "Vogelstein" descobre que foi colocado no mesmo hotel de Rotkopf, em mais uma intervenção decisiva do Deus das coincidências, dessa vez assessorado pela recepcionista Angela, que — outra ajuda da sorte — simpatiza com ele. No coquetel do japonês horizontal, Rotkopf sugere um encontro no quarto dele, mais tarde. É a sua oportunidade. Mas eles acabam indo juntos, no mesmo táxi, para o hotel, e vão direto para o quarto de Rotkopf. "Vogelstein" está sem o seu punhal, que veio de Porto Alegre dentro da mala, para escapar da detecção no aeroporto, e ficou no quarto. Mas está com os calmantes no bolso, já que foi ao coquetel com o mesmo casaco que usou na viagem, como você também fez questão de destacar. Não está bêbado como o autor desinformador diz na sua narrativa. No coquetel tomou pouco champanhe e só finge que acompanha Rotkopf nos seus grandes goles de tequila acompanhados de diatribes contra o mundo e seus habitantes, principalmente os acadêmicos. Não é difícil botar calmante na tequila de Rotkopf, na dosagem certa para ele acabar de trancar a porta depois que "Vogelstein" sai do quarto, às onze horas, e desabar no chão, não acordando nem com as batidas de Johnson na porta meia hora depois.

Não sei quando "Vogelstein" se lembra do "Big Bow Mystery", a história do quarto fechado de Zangwill em que o assassino é quem arromba a porta e "descobre" o corpo. Talvez já tivesse viajado com a idéia na cabeça, senão não teria trazido os calmantes e o punhal. Talvez ela só tenha lhe ocorrido dentro do quarto de Rotkopf, vendo-o beber tequila e contar o que pretende fazer com as reputações de Urquiza e Johnson e este farsante que lhe escreve, no dia seguinte. Ou "Vogelstein" e Rotkopf têm uma conversa de pai e filho, cheia de revelações e de culpa, e Rotkopf é obrigado a ficar cara a cara com a sua própria canalhice, algo para fazer seu ser moral no espelho tentar matá-lo também? Quando diz para Rotkopf trancar o quarto porque podem tentar matá-lo naquela noite, antes de sair, "Vogelstein" já sabe o que vai fazer. A história desse quarto fechado será a de Zangwill, um mistério simples, bem mais simples do que o da rue Morgue, de Poe.

"Vogelstein" pega a chave do seu quarto, o 202, na portaria. Sobe para o quarto e fica esperando o tempo passar. Não há nenhum telefonema de Rotkopf. Mesmo na sua narrativa inconfiável você deixa claro que isso seria impossível, já que Rotkopf não poderia saber o número do quarto de "Vogelstein", que nem "Vogelstein" sabia quando o deixou — bêba-

do, segundo você —, nem localizá-lo pelo nome, pois só o conhecia pelo pseudônimo. A sua narrativa é leal nesse sentido, meu caro V.: há vários sinais claros de que "Vogelstein" está mentindo em toda a sua extensão.

Você quer que "Borges" saiba que "Vogelstein" está mentindo. Quando "Vogelstein" comenta as minhas gravuras de Piranesi, fala nas suas ruínas. Mas Piranesi, que não se contentava com as ruínas de Roma e inventava outras, fantásticas, também fazia desenhos de prédios e interiores inteiros, com grande rigor arquitetônico. E minhas gravuras de Piranesi não são de ruínas, como "Vogelstein" obviamente saberia que "Borges" saberia. Quando o livro cai no chão da minha biblioteca e "Vogelstein" vai buscá-lo, "Vogelstein" diz que ele caiu aberto no começo de "O escaravelho dourado". Minha contribuição: o livro é uma seleção de contos de Poe que não inclui "O escaravelho dourado". Mais um recado de "Vogelstein" para "Borges" de que está mentindo.

Às três da madrugada "Vogelstein" sobe até o sétimo andar e começa a bater na porta de Rotkopf. Corre para chamar o porteiro da noite, contando com outra ajuda do Deus das coincidências, que não falha. O porteiro da noite é exatamente do tipo que "Vogelstein" precisa: moço, inexperiente e apavorado. "Vogelstein" impede que ele entre no quarto, depois de ajudá-lo a arrombar a porta, para não ver o quadro terrível, e o manda buscar ajuda. Passa, então, a providenciar o quadro terrível que não queria que o porteiro visse. Rotkopf está estendido no chão, inconsciente. "Vogelstein" o mata com el vaivén, depois arrasta o corpo para perto do espelho, deixando um lençol de sangue no chão. Quando começam a chegar as outras pessoas no quarto, é "Vogelstein" quem comanda a confusão, até sugerindo que Rotkopf ainda respira e pode ser reanimado, para ninguém ter a infeliz idéia de não tocar em nada. Quando chega a polícia, "Vogelstein" tem o monopólio da informação. Só ele sabe contar como era o quadro terrível quando a porta foi arrombada e antes de chegarem os outros. Depois de desinformar a polícia, o assassino desce para o seu quarto, limpa o punhal e o atira pela janela do banheiro. O banheiro do 202 também dava para o poço em que foram encontrados os dois punhais.

No fim, não havia nenhuma conspiração, ou se havia ela se tornou irrelevante. Johnson e Urquiza também queriam matar Rotkopf e jogaram seus punhais fora depois que "Vogelstein" fez o serviço por eles. Ou Urquiza estava mesmo encarregado de matar Johnson, para proteger os códigos secretos que a Israfel Society não quer ver revelados, ou os nomes mortos do Necronomicon que não podem ser invocados sob pena de destruírem o mundo, ou uma aliança negra forjada na biblioteca de um rei louco que atravessa os séculos como a luz pulsante do speculum de John Dee na British Library, mas tudo foi deferido a um drama mais antigo, até, do que Akhnaton e do que Tebas e as pirâmides: um filho matando um pai. O valete com os olhos vazados cumprindo uma velha sina.

No último capítulo do seu pergaminho você diz que a imagem que o corpo em V de Rotkopf formava no espelho era um

losango. Para dar razão à última especulação, palavra apro-
priada, de "Borges" sobre a penúltima mensagem do morto,
segundo a memória imprecisa do narrador. O M de mulher,
de mãe, de Maria. Ou, sabe-se agora, de Miriam. O Sul, o
ponto que falta no triângulo sagrado, o que transforma o
triângulo em losango, o três em quatro. Ou seja, você fez
uma gentileza comigo acabando sua narração inconfiável
com um gesto de submissão filial, concedendo-me o losan-
go e a intuição da resposta certa. A resposta certa para o
enigma, a resposta certa para tudo, era Miriam. Você até
sugere que a resposta certa teria ocorrido a "Borges" antes
da última cena, quando eu conto que a minha mãe também
era judia, "Borges" dizendo a "Vogelstein" que os dois têm
outras coisas em comum além de praticarem a arriscada
arte da palavra escrita.

Se esta história fosse minha, nesse momento "Borges" já te-
ria se dado conta de que as pistas que você inventou não
eram do assassinado, eram do assassino. E se eram do as-
sassino, eram para quem? Para ele, claro. A conclusão é que
você estava apenas me mandando outra história. A sua
quarta história, como o quarto ponto que forma o losango.
Uma história que eu não poderia ignorar, como ignorei as
outras três, e que chamaria minha atenção nem que fosse só
pela quantidade de sangue. Ou você estava apenas mos-
trando como um intelectual pode usar um vaivén com a frie-
za de um matador profissional ou de um compadre de Pa-
lermo, para me dar inveja? Dos três punhais encontrados no
hotel, só um merecia o nome de vaivén. Nas mãos dos outros
dois intelectuais, os punhais tinham permanecido fierros,

vaivenes *hipotéticos, apenas literatura. "Vogelstein" dizendo a "Borges" que era mais do que ele, mais do que o ídolo, pois rompera a passividade do escritor, enfrentara um demônio real, criara um lençol de sangue verdadeiro.*

Antes de terminar, outra especulação. Você talvez não tenha notado que, na sua narrativa, a doce Angela consegue sair de quartos trancados sem destrancá-los. Ou essa informação aparentemente descuidada também foi deliberada, só para me fazer especular mais um pouco? A Cabala costuma usar anjos, e ela trazia no corpo as marcas de uma simetria suspeita. "Vogelstein" talvez tenha, mesmo, sido convocado para uma missão. Aproveitaram-se do seu ódio, nutrido durante anos, ao homem que abandonara sua mãe, e o colocaram dentro do quarto de Rotkopf com um punhal na mão para executar o seu monstro pessoal e ao mesmo tempo resolver outra história, ou impedir outra revelação. O lamentável Rotkopf teria descoberto uma verdade por acaso, como Lovecraft descobrindo o Necronomicon quando inventou a tal leitura no espelho do poema "Israfel". Uma verdade acidental que não podia ser publicada e que, para não ser revelada, fez com que você fosse retirado do Bonfim com seu punhal e o seu desejo de vingança. O nome "Israfel", o anjo de voz doce do Corão, conforme a epígrafe do poema de Poe, de trás para diante e sem as vogais é LFRS, o Tetragrammaton neozoroástrico. Com outras vogais, seria o nome de um deus maligno, prestes a ser soletrado antes do tempo.

E, para terminar, já que tenho esse privilégio, a última especulação. Não a tome como a mera pretensão de um persona-

gem menor que, fracassando como detetive, reclama as gló-
rias de vítima. Mas a missão de "Vogelstein" talvez fosse me
matar. A Sociedade Israfel teria nos juntado a todos à sombra das poderosas entidades do Sul, Azathoth e Yog-Sothoth, o rei e o príncipe do caos, no centro do X, para que
"Vogelstein" e seu vaivén me impedissem de acabar o Tratado final dos espelhos, que traria a chave de toda a minha obra e portanto do Universo. O assassinato no quarto
fechado seria apenas um truque para colocar "Vogelstein"
dentro da minha biblioteca. Mas "Vogelstein" teria desisti-
do, desarmado pela minha presteza em considerá-lo um
igual e deixá-lo me chamar pelo primeiro nome. Tudo, afinal, é vaidade. Fui salvo pela minha simpatia. Para com-
provar ou desprovar esta versão, teríamos que saber se "Vogelstein" atirou seu punhal pela janela do banheiro depois
de matar Rotkopf ou depois de me visitar pela primeira vez.
Como a história acaba aqui, jamais saberemos.

Você mesmo, quando inventou as quatro cartas deixadas
sobre a mesa do quarto, atraiu, sem querer, estas especulações finais. Usou o 10 antes do valete apenas para dar uma
idéia de seqüência e chamar a atenção para a sua interrup-
ção, para a ausência da dama. Mas o 10 também é o X, o
desconhecido, o duplo V dos romanos, a motivação oculta,
a necessidade obscura ao lado do valete, guiando a sua mão
e o seu punhal. Só porque não acreditamos nessas entidades
invisíveis não quer dizer que elas não existam.

(Temos, todos, a vocação de conjuradores. Johannes Trithemius, famoso criptógrafo da época de Maximiliano I, in-

ventou um historiador antigo chamado Hunibaldo para dar credibilidade a algumas das suas teses sobre o passado alemão. Foi tão convincente que Hunibaldo chegou a ser incluído numa edição da Enciclopédia Britânica como se tivesse mesmo existido, até que descobriram o engano e o purgaram na edição seguinte. Johannes Trithemius é o meu ídolo. Tentei, mas não consegui colocar uma das minhas falsas figuras históricas ou autoridades inventadas numa enciclopédia nem por dez minutos.)

Termina assim. Urquiza de volta em Mendoza, onde preside sobre rituais soturnos na igreja subterrânea no porão do seu castelo, com a possível participação do bispo da província. Johnson nos Estados Unidos, para onde voou depois de recusar-se a responder a mais perguntas e sem ser acusado de nada, pois não havia provas contra ele. "Vogelstein" em Porto Alegre, feliz por finalmente ter provocado uma resposta minha. Eu e "Borges", interrompendo nosso trabalho no Tratado final dos espelhos, viajando para Genebra, onde morreremos no ano que vem. Ou eu morrerei. "Borges" provavelmente sobreviverá para assombrar Buenos Aires por mais alguns anos e desaparecer aos poucos, como outros mitos a meu respeito. E não resisto à tentação de dar a última palavra desta história, se você me permite, a Cuervo. Indagado sobre a possibilidade de o caso ser reaberto se aparecesse, por exemplo, uma confissão por escrito, mesmo romanceada, disse el Cuervo: Nunca más.

Um abraço,
Jorge.

PS — É muita bondade sua me atribuir, no fim da vida, *energia e interesse suficientes para escrever esta carta, o que* *dirá um* Tratado final dos espelhos. *E a minha única his-* *tória publicada na* Mistério Magazine *saiu em 1948, quan-* *do, a não ser que fosse um prodígio de precocidade, você não* *poderia tê-la traduzido. Mesmo as histórias mais fantásti-* *cas, meu caro V., requerem um mínimo de verossimilhança.*

Jorge Luis Borges nasceu em Buenos Aires no dia 24 de agosto de 1899. Aos sete anos escreveu seu primeiro texto, em inglês, que aprendeu da avó paterna, nascida em Northumberland. Foi educado na Europa, para onde a família se mudou em 1914 e onde ficou até 1921. Iniciou sua vida literária em Sevilha, fazendo poesia. De volta a Buenos Aires, fundou — ou colaborou com — diversas revistas culturais, publicando poemas e artigos. Em 1938 morreu seu pai e Borges sofreu um acidente que quase lhe tirou a vida, e a partir daí sua visão se deteriorou, como já acontecera com o pai, que morreu cego. A partir de 1956 Borges não conseguia mais ler. Dependia da ajuda de outros para escrever e sua mãe lia para ele, o que fez até morrer, em 1975, com mais de noventa anos. Em 1939 Borges publicou o conto "Pierre Menard, autor de Quixote", o primeiro na linha fantástica, misto de pseudo-ensaio e ficção, que caracterizaria seus textos mais famosos, como "História universal da infâmia", "O jardim dos caminhos que se bifurcam", "O alef", "O relatório de Brodie" e "O livro de areia". Sob o pseudônimo de H. Bustos Domecq ele e seu grande amigo Adolfo Bioy Casares publicaram contos policiais protagonizados pelo detetive Dom Isidro Parodi. Além da sua ficção e da poesia, Borges escreveu sobre os bairros, os tipos e a música de Buenos Aires. Em 1961 compartilhou com Samuel Beckett um prêmio dado pelo Congresso Internacional de Editores — um dos muitos prêmios e títulos que recebeu durante sua vida. Data daí o começo da sua reputação internacional. Em 1980 ganhou o prêmio Cervantes. Em 1967 casou-se com Elsa Millán, de quem se divorciou três anos depois. Estava casado com sua ex-colaboradora Maria Kodama quando morreu, em Genebra, em junho de 1986.

Luis Fernando Verissimo nasceu em Porto Alegre em 26 de setembro de 1936. Educou-se, principalmente, nos Estados Unidos, onde viveu com a família entre 1943 e 1945 e entre 1953 e 1956, quando completou o *high school*. Não se formou em nada e trabalhou na Editora Globo, em Porto Alegre, nos departamentos de arte e planejamento gráfico, fazendo também algumas traduções do inglês. Depois de uma temporada no Rio, onde se casou, voltou para Porto Alegre em 1966 e trabalhou em jornalismo e publicidade. Seu primeiro livro de crônicas, *O popular*, saiu em 1973. Depois viriam outros, como *O analista de Bagé*, *A velhinha de Taubaté*, *Ed Mort e outras histórias*, *As cobras* (quadrinhos), *Comédias da vida privada* e *A versão dos afogados*, além de dois romances, *O jardim do Diabo* e *O clube dos anjos*. Verissimo colabora em vários jornais brasileiros e mora em Porto Alegre, onde toca saxofone num conjunto de jazz e torce pelo Internacional.

1ª EDIÇÃO [2000] 3 reimpressões
2ª EDIÇÃO [2009]

ESTA OBRA FOI COMPOSTA PELO GRUPO DE CRIAÇÃO EM FILOSOFIA, TEVE
SEUS FILMES GERADOS PELO BUREAU 34 E FOI IMPRESSA PELA GEOGRÁFICA EM
OFSETE SOBRE PAPEL PÓLEN BOLD DA SUZANO PAPEL E CELULOSE
PARA A EDITORA SCHWARCZ EM MAIO DE 2009